Il Successo Supremo

Il Successo Supremo

Discorsi sulla Spiritualità
di
Swami Ramakrishnananda Puri

Mata Amritanandamayi Center, San Ramon
California, Stati Uniti

Il Successo Supremo

Discorsi sulla Spiritualità di Swami Ramakrishnananda Puri

Pubblicato da:
Mata Amritanandamayi Center
P.O. Box 613
San Ramon, CA 94583
Stati Uniti

–––––––––––––––– *Ultimate Success (Italian)* ––––––––––––––

Prima edizione a cura del MA Center: agosto 2016

In Italia: www.amma-italia.it

In India:
    inform@amritapuri.org
    www.amritapuri.org

Dedica

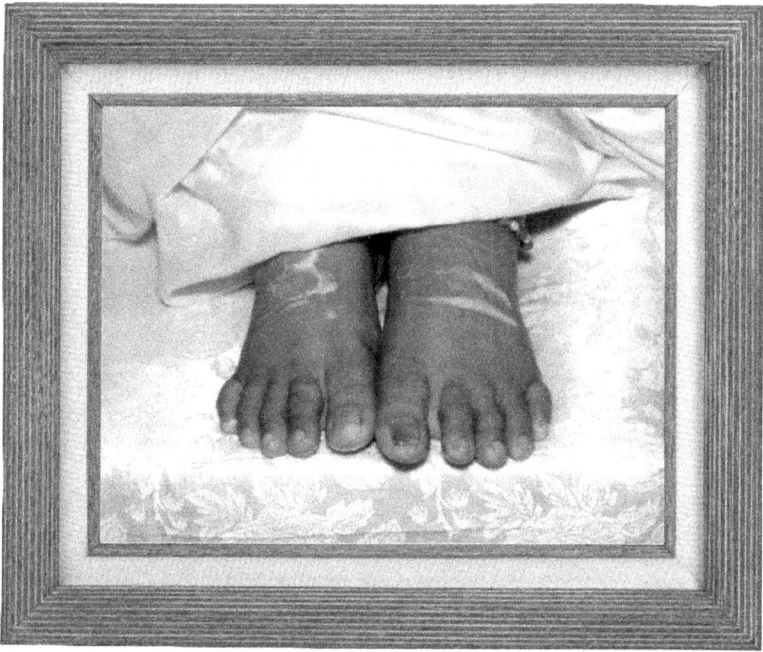

Questo libro è umilmente offerto
ai piedi di loto del mio amato Satguru,
Sri Mata Amritanandamayi Devi

Indice

Prefazione

yo dhruvam parityajya adhruvam parisevate
dhruvam tasya naṣyathi adhruvam naṣṭameva hi

*Colui che lascia ciò che è Permanente per inseguire ciò
che è transitorio non solo perderà Quello, ma anche il
transitorio, poiché non resterà con lui.*

Antico detto indiano

Nel mondo moderno, ci sono innumerevoli occasioni per godere dei piaceri dei cinque sensi: proprio come esiste una super
informazione, c'è anche una "super sensazione". Dalla persona
più svantaggiata socialmente fino a quella più ricca, tutti sono
inclini a rincorrere i piaceri materiali, nella convinzione che il
soddisfacimento del desiderio sia la più alta forma di felicità che
il mondo abbia da offrire.

Tuttavia, segretamente tutti noi dubitiamo di essere veramente in grado di realizzare i nostri desideri e i nostri scopi.
Sappiamo che un milionario può non essere amato dai figli, che
un campione olimpico con una medaglia d'oro può soffrire di
stress mentale e che il matrimonio di una star del cinema può
essere in pericolo. La verità è che nulla nel mondo esterno può
garantire una felicità durevole. Naturalmente, ciò non vuol dire
che gli esseri umani non debbano inseguire la felicità del mondo,
ma che dovrebbero essere capaci di comprendere la vera natura
dei piaceri mondani, mentre ne godono, per cercare ciò che darà
loro una felicità permanente.

La sola persona che ha realizzato tutti i suoi desideri è quella
che ha trasceso l'identificazione con il corpo, la mente e l'intelletto

e che ha quindi realizzato la sua vera natura come Sé Universale, presente in tutti gli esseri come pura coscienza. Quando realizzeremo – attraverso una diretta e personale esperienza – che c'è soltanto un "Io", comprenderemo che non c'è null'altro da guadagnare in tutto il creato e saremo in grado di fonderci nell'oceano di beatitudine che è la nostra vera natura e la nostra dimora finale.

Se, al contrario, passiamo la nostra vita inseguendo gli oggetti transitori del mondo, perderemo l'eterna beatitudine del Sé, e alla fine saremo anche privati degli oggetti del mondo – al momento della morte, se non prima.

Amma è l'esempio vivente di una persona che ha raggiunto tutto quello che c'è da raggiungere. Dalla nostra attuale prospettiva gli oggetti del mondo possono sembrare offrire la più alta felicità della vita, ma per Amma, che conosce la Sua reale natura, questi oggetti hanno lo stesso valore di un pugno di noccioline. Quando raggiungeremo lo stato della realizzazione del Sé, potremo avere tutto quello che vogliamo, ma l'esperienza di un totale stato di pienezza non lascia spazio per i desideri: ci sembra che non ci manchi niente.

Avendo avuto la fortuna di vivere con Amma per gli ultimi 27 anni, ho voluto condividere alcune delle mie esperienze con Lei, oltre alle lezioni che ho imparato lungo il cammino. Questo saggio presenta i possibili tranelli sul sentiero della realizzazione del Sé e gli infiniti benefici che traiamo dalla vittoria finale sul nostro ego, in base all'antica tradizione della saggezza del *Vedanta*, e alle mie esperienze con un *Satguru* (Vero Maestro).

Una volta, un devoto mi fece notare: "Amma è un rebus avvolto nel mistero, dentro a un enigma". Non solo non sappiamo chi sia, ma non sappiamo neppure chi siamo noi. Al contrario, Amma sa per esperienza diretta che Lei e noi – e tutto il creato – siamo uno. Questa è la ragione per cui milioni di persone, di ogni estrazione sociale, di ogni razza e religione, e da ogni angolo del pianeta, cercano le benedizioni e l'amore di Amma. Amma non vuole che rimaniamo nelle tenebre: il Suo più grande desiderio è che tutti i Suoi figli, in altre parole tutti gli esseri viventi, realizzino, un giorno, la beatitudine suprema della realizzazione del Sé. Questo è il successo più alto cui si possa aspirare nella vita. Amma è il Maestro Supremo che può portarci a Quello. Possano le Sue benedizioni e la Sua grazia aiutarci ad ottenere questo Successo Supremo.

Swami Ramakrishnananda
Amritapuri
27 Settembre 2004

La vita di Amma in breve

"Le capacità che Dio ci ha dato sono un tesoro, sia per noi stessi che per il mondo intero. Questa ricchezza non deve mai essere male utilizzata, e non deve diventare un fardello, né per noi né per il mondo. La più grande tragedia della vita non è la morte; la più grande tragedia consiste nell'utilizzare poco i nostri talenti e le nostre capacità e nel lasciarli arrugginire durante la vita. Quando facciamo uso delle ricchezze ricevute dalla natura, esse diminuiscono; mentre quando utilizziamo la ricchezza delle nostre potenzialità interiori, esse aumentano."

Sri Mata Amritanandamayi
"Possano la pace e la felicità trionfare"
Discorso conclusivo della Sessione Plenaria
del Parlamento delle Religioni del Mondo 2004

Amma è nata nel 1953, in un povero villaggio di pescatori del Kerala, nel Sud dell'India. Già da bambina fu chiaro che Sudhamani, questo il Suo nome, era unica. Senza alcun incoraggiamento, Ella era profondamente spirituale, e notevole era l'intensità della Sua compassione: poiché era diversa, fu incompresa e maltrattata. Ebbe una infanzia molto difficile e soffrì molto.

Fin dalla più tenera età, passava molto del Suo tempo in faccende domestiche. Come parte del lavoro doveva raccogliere il cibo per le mucche della famiglia e per questo si recava nei villaggi locali per raccogliere l'erba e faceva visita alle case dei vicini per avere le bucce delle verdure e gli avanzi dell'acqua del riso per le mucche. In quelle occasioni, vide molte cose che Le turbarono il cuore: alcuni soffrivano la fame mentre altri avevano ricchezza sufficiente per nutrire intere generazioni, vide tante persone ammalate che soffrivano moltissimo, incapaci di procurarsi un solo analgesico. Inoltre, notò che molti anziani erano trascurati e maltrattati dai loro stessi familiari. La sua empatia era tale che il dolore degli altri Le risultava insopportabile. Sebbene fosse una bambina, cominciò a riflettere sul problema della sofferenza. Si chiedeva: " Perché le persone soffrono? Quale causa è alla base del dolore?", e talmente potente era in Lei la percezione della presenza interiore di Dio, che volle avvicinare, confortare e sollevare quelli che erano meno fortunati di Lei.

In un certo senso, fu allora che cominciò la missione di Amma: Ella divideva il suo cibo con gli affamati, lavava e vestiva gli anziani che non avevano nessuno che si prendesse cura di loro, e anche se veniva punita quando donava ai poveri il cibo e altri beni della famiglia, la Sua compassione era tale che nulla poteva fermarLa.

La gente cominciò a notare che c'era qualcosa di straordinario in Sudhamani, che era completamente altruista, che dedicava ogni momento della Sua vita a prendersi cura degli altri, e che irradiava verso tutti un amore incondizionato e senza limiti.

Quando Sudhamani raggiunse i vent'anni, la maternità universale che si era risvegliata in Lei La spinse ad abbracciare spontaneamente tutti coloro che arrivavano da Lei. Ella considerava ciascuno come un Suo proprio figlio, e così persone di tutte le età cominciarono a chiamarla Amma (Madre). Centinaia di persone cominciarono ad arrivare ogni giorno per trascorrere alcuni momenti in Sua presenza.

Allora *il darshan*[1] di Amma prese la forma di un caldo, amorevole, materno abbraccio. Amma ascoltava le sofferenze

---

[1] La parola darshan significa letteralmente "vedere". Essa è tradizionalmente usata nel riferirsi all'incontro con una persona santa, vedere un'immagine di

delle persone che venivano da Lei, consolandole e accarezzandole, cominciando, inoltre, ad insegnare loro il vero scopo della vita.

I primi discepoli monastici arrivarono a risiedere permanentemente accanto a Lei nel 1979. Furono loro a darLe il nome di Mata Amritanandamayi (Madre di Immortale Beatitudine). Allora fu fondato un *ashram*, poiché un numero sempre più grande di giovani uomini e donne, ispirati dalla compassione altruistica di Amma, cominciarono a venire per avere la Sua guida spirituale. La costruzione di alcune umili capanne di paglia accanto alla casa di famiglia di Amma, costituì l'inizio del Mata Amritanandamayi Math.

Nel 1987, in risposta agli inviti dei Suoi figli in tutto il mondo, Amma S'imbarcò per il Suo primo tour mondiale. Attualmente sia in India sia all'estero, Amma è riconosciuta come una delle principali guide spirituali nel mondo. Ella trascorre gran parte dell'anno viaggiando attraverso la sua nativa India, l'Europa, gli Stati Uniti e il Canada, il Giappone, la Malaysia, l'Australia e altre terre ancora. La compassione di Amma abbatte tutte le barriere di nazionalità, razza, casta, sesso, stato socio-economico, credo, religione e condizioni di salute. Dovunque viaggi, Ella accoglie ogni persona che La avvicina con un abbraccio materno, dimostrando con l'esempio che un'accettazione incondizionata e l'amore sono il fondamento del servizio agli altri. Negli ultimi 30 anni, Amma ha fisicamente abbracciato e benedetto più di 24 milioni di persone.

Oggi, l'ashram di Amma è la casa di più di 3000 residenti, inclusi monaci, devoti capofamiglia e studenti; altre migliaia visitano l'ashram ogni giorno arrivando da tutti gli angoli del mondo. Ispirati dall'esempio d'amore, compassione e servizio disinteressato di Amma, anche i residenti dell'ashram e i visitatori

---

Dio, o avere una visione di Dio. In questo libro, darshan si riferisce all'abbraccio materno di Amma, che costituisce anche una benedizione.

si dedicano a servire il mondo. Attraverso la vasta rete di progetti caritatevoli di Amma, essi lavorano per sollevare i bisognosi con rifugi, aiuti medici, educativi, di formazione professionale, e con aiuti finanziari e materiali. Innumerevoli persone in tutto il mondo stanno contribuendo a questi sforzi amorevoli.

Una delle più spettacolari manifestazioni di questo impegno d'amore è rappresentato dall'Istituto Amrita di Scienze Mediche (AIMS), un eccezionale ospedale all'avanguardia, non a scopo di lucro, fornito di 1200 posti letto, e dedicato alla cura ottimale delle malattie e a migliorare il benessere della comunità attraverso la medicina preventiva, l'educazione medica, e la ricerca. All'AIMS, perfino il più povero dei poveri riceve le migliori cure mediche, altamente tecnologiche, da parte di medici e infermieri specializzati, in un'atmosfera d'amore e compassione.

Amma fondò la Sua prima struttura educativa nel 1987 – l'Amrita Vidyalayam (una scuola elementare) a Kodangallur, in Kerala. Da allora, il Mata Amritanandamayi Math ha fondato più di 60 strutture educative in tutta l'India, incluse facoltà di ingegneria, istituti per computer e una facoltà di medicina, ciascuna delle quali impartisce un'istruzione di alta qualità e fondata su valori.

Oggi Amma, che ha un'educazione scolastica molto povera è il rettore dell'Amrita Vishwa Vidyapitham, la più giovane università privata ad essere accreditata dal Governo dell'India e che offre lauree in medicina, ingegneria, amministrazione, giornalismo, arti e scienze. Qui gli studenti assorbono la conoscenza necessaria per intraprendere una carriera professionale di successo, e per condurre una vita felice e piena di pace.

Sempre di più, ad Amma viene chiesto di consigliare non solo gli individui ma anche la comunità globale delle nazioni e delle fedi. Recentemente, Amma ha rivolto un discorso al Summit del Millennio per la Pace nel Mondo alle Nazioni Unite di New York

(2000); all'Iniziativa per la Pace nel Mondo delle Donne Leader Spirituali e Religiose alle Nazioni Unite di Ginevra (dove nel 2002 Le è stato conferito il Premio Gandhi-King per la Non Violenza); e al Parlamento delle Religioni di Barcellona nel 2004 dove ha tenuto il discorso conclusivo dei lavori durante la sessione plenaria.

Forse finora la più grande espressione dell'amore di Amma per il mondo – e del mondo per Lei – è stato Amritavarsham 50: Abbracciando il Mondo per la Pace e l'Armonia. Inizialmente concepito dai devoti di Amma a celebrazione del cinquantesimo anniversario della Sua nascita, l'evento è stato trasformato da Lei, con l'umiltà del Suo stile unico, in una preghiera e in un piano di azione per la pace e la felicità del mondo intero. Nei quattro giorni, più di 250.000 persone hanno partecipato quotidianamente alle celebrazioni, inclusi il presidente e il primo ministro dell'India, un ex senatore americano, e molti altri leader politici, luminari delle maggiori tradizioni religiose di tutto il mondo, importanti uomini d'affari da ogni dove, e naturalmente, devoti di Amma provenienti da quasi ogni nazione della terra. Al centro di Amritavarsham 50 c'era ovviamente Amma, che ha svolto la stessa cosa che sta facendo ogni giorno da trent'anni – abbracciare individualmente, confortare e benedire chiunque venisse da Lei.

Come ha detto la dott.sa Jane Goodall, quando ha consegnato ad Amma il Premio Gandhi-King per la Non Violenza nel 2002: "Lei è qui davanti a noi, l'amore di Dio in un corpo umano".

Parte 1

Che cos'è il successo supremo?

Conoscere gli altri è intelligenza;

Conoscere se stessi è vera saggezza.

Dominare gli altri è forza;

Dominare se stessi è vero potere.

Se realizzi di avere abbastanza,

Sei veramente ricco.

Tao Te Ching

Capitolo 1

Raggiungere il vero successo

Tutti vogliono avere successo ma indipendentemente da quanto se ne ottenga si continuerà sempre a cercare qualcos'altro. Un capo reparto vorrà diventare un dirigente e un dirigente d'azienda desidererà comprare altre società. Il milionario vorrà diventare miliardario e il senatore essere eletto vice-presidente e poi presidente: dopo essere diventato presidente aspirerà a qualcos'altro.

Riguardo a questo tema, ricordo una volta in cui Amma incontrò il vice-presidente di un certo paese. A quell'epoca, egli aveva quasi 75 anni e la sua salute stava declinando. Poiché aveva fatto carriera nel suo partito politico partendo dalla più bassa posizione, nel paese tutti lo consideravano un uomo di successo. Egli confessò ad Amma di avere un traguardo finale: diventare presidente della nazione – pensava che solo così la sua vita sarebbe stata di successo.

Nessuno considera la propria condizione presente come un completo successo. Ecco perché ci sono così tanti seminari che insegnano a raggiungere il successo. Per coloro che hanno già successo, ci sono seminari per raggiungere ancora più successo. Ci sono seminari perfino che insegnano come avere successo nell'insegnare agli altri ad avere successo. Il successo è normalmente definito come qualcos'altro o qualcosa di più di quello che già abbiamo: questa è la ragione per cui ci sforziamo costantemente di ottenere o raggiungere qualcosa.

Alcuni corrono dietro al denaro mentre altri inseguono il potere o la fama e, naturalmente, alcuni si dedicano al raggiungimento di mete nobili. Ma finché considereremo come successo la realizzazione di uno scopo esteriore, non ci sentiremo mai davvero pienamente soddisfatti. Per prima cosa potrebbero mancarci le capacità per conseguire quel traguardo. Se siamo qualificati, potrebbe non capitarci la giusta occasione e anche avendola, potremmo dover affrontare molte avversità. Inoltre, i nostri obiettivi cambiano col tempo e l'esperienza: raggiunta una meta, è possibile che rivedremo il nostro concetto di successo, ed infine, ci sarà sempre qualcun altro che godrà di maggior successo di noi.

Tuttavia, da un punto di vista spirituale, ciascuno possiede la stessa ricchezza interiore e lo stesso potenziale latente per raggiungere il successo. Alcuni disabili non saranno in grado di avere successo come atleti, un muto non avrà mai successo come cantante, un povero senza esperienza negli affari non riuscirà mai come imprenditore, e un criminale incallito non potrà in nessun caso ricoprire una carica pubblica. Tuttavia tutte queste persone possiedono lo stesso tesoro spirituale, il potenziale per realizzarlo e per avere realmente successo.

Allora, che cos'è il vero successo? Secondo l'antico stile di vita indiano conosciuto come *Sanatana Dharma*[1] esiste una sola meta di cui si dice *"Yal labdva naparam labham"*, che significa: "Dopo aver ottenuto Quello, non rimane nient'altro da raggiungere". Questo conseguimento di cui si parla è la realizzazione del Sé. Realizzare il Sé significa fare l'esperienza che il nostro Vero Sé e Dio sono la stessa e unica cosa. Questa realizzazione è il vero successo, ogni altra forma di successo o conquista sarà strappata via dalla morte, mentre la conoscenza diretta del Sé rimarrà intatta perfino nella morte. Proprio come l'elettricità resta invariata quando brucia una lampadina, la morte del corpo non modifica

---

[1] Sanatana Dharma è il nome originale dell'Induismo e significa: "L'eterna via della vita".

in alcun modo l'*Atman*, il quale assumerà un nuovo corpo fisico e continuerà con le esperienze di una nuova vita. Per chi ha realizzato il Sé, la morte non fa più paura di quanta non ne faccia il cambiare i propri abiti consumati con abiti nuovi.

Quando diciamo "Io", ci riferiamo al nostro corpo fisico, alla nostra personalità e al nostro ego. Non consideriamo l'Atman che è il nostro vero Sé – la nostra essenza. L'Atman anima il corpo: come un'auto corre soltanto se ha benzina, così il corpo fisico funziona grazie alla presenza dell'Atman. Il Sé Universale, presente in tutti gli esseri, è anche chiamato Coscienza Suprema, Dio, o semplicemente Verità. In un mondo in cui nomi e forme cambiano in continuazione, solo l'Atman è immutabile – è il substrato di tutto il creato.

Chi possiede questa conoscenza dell'Atman è sempre appagato. Completamente stabilita nell'Atman – o Sé – una tale persona vede soltanto il suo Sé ovunque e in tutti, e non si sente mai di avere maggior o minor successo di nessun altro. Quando non c'è un secondo individuo, a chi ci si può paragonare? Che cosa c'è ancora da ottenere?

C'era una volta un re che era ormai avanti con gli anni, e non aveva ancora avuto un figlio che gli succedesse al trono. Nel regno vigeva un'antica tradizione secondo la quale, se il re non avesse avuto figli alla fine della sua vita, sarebbe stato nominato erede al trono chiunque avesse ricevuto una ghirlanda da un elefante reale appositamente mandato fuori dal palazzo con tale ghirlanda sulla proboscide.

Quando gli fu chiaro che sarebbe morto senza avere un figlio, il re ordinò che un elefante fosse mandato fuori del palazzo, con una ghirlanda sulla proboscide, come da consuetudine. L'elefante la mise intorno al collo della prima persona che gli capitò davanti: si trattava di un mendicante che si trovava al lato della strada. Terrificato dalla vicinanza dell'enorme elefante, il mendicante scappò a gambe levate temendo per la sua vita. I ministri del re, che avevano assistito alla scena, lo inseguirono e alla fine lo agguantarono. Spiegarono al mendicante, scioccato, che stava per diventare il prossimo sovrano e lo scortarono a palazzo.

Dopo alcuni anni, il re morì e l'ex mendicante fu incoronato re. Sebbene i ministri gli procurassero ogni possibile lusso, egli conservava i suoi abiti sbrindellati, la ciotola delle elemosine e il bastone in uno scrigno d'oro nella sua stanza da letto. Dopo alcuni anni di regno, ebbe l'idea di ritornare alla sua vecchia vita, solo per un giorno, per vedere cosa sarebbe successo. Nel cuore della notte, aprì lo scrigno d'oro, e indossò i suoi vecchi stracci, prese la ciotola delle elemosine e il bastone, e lasciò il palazzo, in segreto.

Vestito come il mendicante che era stato, il re cominciò a chiedere l'elemosina. Man mano che il giorno passava, trovò alcune persone che gli mostrarono compassione e gli diedero qualche moneta, e altre che lo rimproverarono aspramente e lo trattarono con disprezzo. Il re rimase sorpreso nello scoprire che gli era indifferente il modo in cui lo trattavano gli altri: finché era ancora un vero mendicante, si era sentito così felice quando qualcuno gli aveva dato dei soldi, o fremente di una rabbia che non osava dimostrare quando, invece, era stato insultato o maltrattato. Adesso invece non si sentiva pieno di gioia quando gli davano del denaro, né turbato quando lo rimproveravano.

Poiché il re sapeva di essere in realtà il signore del paese, il modo in cui lo trattavano gli altri non faceva alcuna differenza per lui. Similmente, i *Mahatma* (Grandi Anime), rimangono indifferenti agli elogi o agli insulti, perché sanno di essere tutt'uno con Dio.

Amma è il perfetto esempio di chi ha raggiunto la Meta Suprema: non ha bisogno, né desidera ottenere qualcosa, o diventare qualcos'altro. Ella è sempre felice nel Suo Sé ed è per questo che è in grado di dare così tanto. Anche alla tenera età di quattro o cinque anni, l'età in cui i bambini di solito pensano soltanto ai loro giocattoli e giochi, Amma stava già aiutando i poveri, donando loro cibo e vestiti prelevati da casa Sua. Pensate a che cosa stavamo facendo noi alla Sua stessa età: nel mio caso, perlomeno, posso dire che correvo dappertutto tutto sporco, creando problemi a mia madre. A quella giovane età, invece, Amma si stava già prendendo cura degli anziani e degli ammalati trascurati dai propri familiari.

La vita di Amma ci mostra anche che è possibile raggiungere l'ideale della vita umana, indipendentemente da quello che si ha o che manca dal punto di vista materiale. Non dobbiamo per forza nascere in una famiglia reale come Krishna, Rama o Buddha. Nel caso di Amma, infatti, Ella ha cominciato partendo da zero sotto tutti i punti di vista: è nata in una famiglia povera, in un remoto villaggio sottosviluppato. Molti di noi, in confronto, sono molto più fortunati dal punto di vista materiale. La nostra fortuna terrena può garantirci contentezza per un po' (questa è una delle ragioni per cui non abbiamo un bruciante desiderio di realizzare il Sé), ma questa soddisfazione può essere perduta in ogni momento, perché non proviene dall'interno, proprio come l'assenza di sintomi non significa necessariamente che siamo sani. Al contrario, la felicità che ricaviamo dal nostro Vero Sé non andrà mai perduta in nessuna circostanza.

Anche oggi, Amma non dipende dagli altri per la Sua felicità e soddisfazione – esse provengono dall'interno.

Alcuni anni fa, mentre Amma si trovava a New Delhi fu organizzato un incontro con l'allora presidente dell'India, durante l'annuale festival nel locale Tempio Brahmasthanam. Amma cominciava a dare il darshan a mezzogiorno, e proseguiva fino a notte inoltrata con una pausa di sole due o tre ore. In questo frenetico programma, era stato fissato un appuntamento con il presidente alle nove del mattino. La notte precedente l'appuntamento, il segretario del presidente telefonò agli organizzatori locali e li informò che il presidente era costretto a cambiare l'orario dell'appuntamento a mezzogiorno e chiese se Amma poteva esserci. Quando questo venne riferito ad Amma, Ella disse che sarebbe stato impossibile. A New Delhi migliaia di Suoi figli stavano aspettando di avere il darshan, come avrebbe potuto farli aspettare? Così l'appuntamento fu cancellato, seguendo le Sue istruzioni. Quanti di noi avrebbero mancato un appuntamento con il presidente del nostro paese? Sarebbe stato un tale onore e un'occasione di pubblicità e di informazione attraverso i media cui nessuno al mondo avrebbe voluto rinunciare. Con questo episodio, Amma ha dimostrato che non pretende alcun riconoscimento da nessuno.

Persone appartenenti a tutti i diversi strati sociali, e che sono considerate di successo nei rispettivi campi, vengono a cercare la guida di Amma e le Sue benedizioni. Nonostante il loro cosiddetto successo, esse cercano ancora qualcosa di più. Il successo terreno non ha dato loro quello che realmente volevano: felicità e pace mentale. Non potremo essere considerati realmente persone di successo finché avremo il desiderio di qualcos'altro o qualcosa di più di quello che già possediamo. Solo se realizzeremo il nostro Vero Sé, che è onnisciente, onnipotente e onnipresente, ci sentiremo veramente appagati e di successo.

Quando una madre ha qualcosa di prezioso in suo possesso, senza dubbio desidera condividerlo con i suoi figli, non lo terrà solo per sé. Se abbiamo cibo in eccesso e abbiamo già mangiato a sazietà, che cosa ne faremo del cibo rimasto? Naturalmente lo daremo agli altri.

Amma sta facendo esattamente questo. Ella è sempre sazia, appagata nel Suo stesso Sé. Qualunque cosa faccia proviene da questa pienezza, mentre tutte le nostre azioni sorgono dalla sensazione che ci manca qualcosa. Amma sa che, in realtà, non manchiamo di nulla. Non abbiamo bisogno di ottenere ricchezza, potere o fama per avere successo: se sappiamo rimuovere l'ignoranza sul nostro Vero Sé, possiamo sperimentare una completa felicità e beatitudine, indipendentemente dalle nostre condizioni o dalle circostanze della vita.

Capitolo 2

Cos'è veramente reale?

Osservando l'oceano possiamo notare differenti tipi di onde: onde piccole, onde grandi, onde gentili e onde furiose. A causa della nostra percezione limitata, consideriamo ogni onda come un'entità distinta. Quando un Mahatma guarda l'o-ceano, invece, non vede alcuna differenza fra le singole onde e neppure tra le onde e l'oceano stesso. Questo perché, essenzialmente, le onde e l'oceano sono una cosa sola – sono la stessa acqua.

In modo analogo, Amma afferma: "Non c'è differenza tra il Creatore e il creato, proprio come non vi è differenza tra l'oro e gli ornamenti d'oro, così non c'è differenza tra il Creatore (Dio) e il creato (il mondo). Essi sono essenzialmente una sola e identica cosa – pura coscienza".

La nostra percezione della realtà è soltanto relativa: dal nostro punto di vista affermiamo che un certo cibo delizioso è "semplicemente divino", o che "questo gelato è paradisiaco", ma in verità non conosciamo il vero significato delle parole "divino" e "paradisiaco".

C'era una volta una lumaca che era stata malmenata da due tartarughe. La polizia arrivò sulla scena e chiese alla povera lumaca (che era tutta blu e nera): "Ha visto bene quelle tartarughe che l'hanno picchiata?".

La lumaca rispose: "Come avrei potuto? È accaduto tutto così in fretta!".

A noi può sembrare che una tartaruga si muova molto lentamente, ma può darsi che dal punto di vista di una lumaca la tartaruga si muova alla velocità della luce. La nostra prospettiva attuale è ugualmente limitata e proprio per questo non dovremmo considerarla come verità assoluta.

Esiste una storia su un grande saggio chiamato Ashtavakra. In sanscrito, *ashta vakra* significa "otto curve" e questo nome gli era stato dato perché il suo corpo era curvato in otto punti. Nonostante il corpo deforme, Ashtavakra divenne un grande studioso, come suo padre del resto, fin dalla più giovane età. Un bel giorno, il re invitò a palazzo i più grandi eruditi del regno per un dibattito sulle Scritture: al vincitore sarebbero andate mille mucche dalle corna placcate d'oro e incastonate di gioielli.

Il dibattito cominciò il mattino e si protrasse per tutto il giorno. Al calar della sera, Ashtavakra ricevette un messaggio che suo padre aveva sconfitto quasi tutti i concorrenti, ma che ora era sul punto di perdere il dibattito. Quando Ashtavakra, che aveva 12 anni, sentì questa notizia, si precipitò a corte per vedere se poteva essere di qualche aiuto a suo padre.

Ashtavakra arrivò alla corte del re mentre il dibattito stava raggiungendo il culmine e sembrava proprio che la sconfitta di suo padre fosse inevitabile. Nel vederlo entrare con il suo corpo deforme e il goffo modo di camminare, il re e tutti gli studiosi, eccetto suo padre, scoppiarono in una risata. Quando lo stesso Ashtavakra cominciò a ridere rumorosamente, tutti ne furono sorpresi, incluso il re, che gli chiese: "Caro ragazzo, perché ridi? Qui tutti stanno ridendo di te!".

"Sto ridendo perché la Verità viene dibattuta in una riunione di calzolai", rispose calmo Ashtavakra.

Sapendo di aver riunito i più grandi eruditi del regno, il re chiese: "Che cosa vuoi dire?".

Ashtavakra spiegò: "Tutti ridono nel vedere il mio corpo deforme, non vedono me e mi stanno giudicando soltanto per la mia pelle, da questo deduco che si tratta di persone che lavorano il cuoio o di calzolai. Il mio corpo è deforme, ma non io. Guardate sotto l'apparenza: il mio vero Sé è senza curve, diritto e puro". L'intera corte fu sorpresa nell'udire la risposta di Ashtavakra.

Il re riconobbe che Ashtavakra aveva ragione, il dibattito era stata una farsa: coloro che stavano discutendo la Verità non erano in grado di vederla. Si sentì colpevole di aver riso delle sembianze di Ashtavakra, assegnò il premio al ragazzo e la corte fu licenziata. Quella notte il re vegliò insonne, ponderando sull'affermazione di Ashtavakra.

Il mattino seguente, il carro del re, per strada, passò davanti ad Ashtavakra. Il re scese immediatamente e s'inchinò ai piedi di Ashtavakra, chiedendogli di guidarlo verso l'illuminazione spirituale. La notte precedente, il re si era rivolto ad Ashtavakra come ad un ragazzo, il giorno dopo, comprendendo la sua grandezza, si rivolse a lui come al suo Guru. [2]

Il re comprese che gli eruditi di cui era affollata la sua corte sapevano vedere solo la verità relativa, il corpo di Ashtavakra, mentre il saggio Ashtavakra poteva vedere, all'interno di ciascuno di loro, il Sé Supremo che è la Verità Assoluta.

Il dialogo svoltosi tra il re (Janaka) e Ashtavakra è chiamato *Ashtavakra Gita*. In esso il Maestro Ashtavakra afferma:

sukhe duḥkhe narē-naryām sampatsu ca vipatsu ca viṣēṣō'naiva dhīrasya sarvatra samadarśinaḥ

Per il saggio che vede tutto in modo uguale, non c'è distinzione tra piacere e dolore, uomo e donna, successo o fallimento. (17.15)

---

[2] Attualmente la parola Guru viene usata in modo libero e può indicare semplicemente un insegnante che è molto capace nel suo lavoro. In questo libro, Guru sarà usato principalmente secondo la sua definizione tradizionale: Colui che è stabilito in Brahman o Verità Suprema, e guida gli altri verso la Realizzazione.

Se conosciamo l'oro, possiamo comprendere che tutti gli ornamenti d'oro sono oro in differenti forme e, allo stesso modo, se conosciamo il nostro Vero Sé, considereremo ogni cosa creata come una forma diversa del nostro Sé. Il problema è che stiamo cercando di capire tutto, fuorché il nostro Vero Sé.

Mahatma come Amma vedono lo stesso Atman ovunque: non fanno discriminazione tra amico e nemico, ricco e povero, o tra coloro che sono gentili e quelli che invece sono crudeli con loro.

Recentemente, durante un programma a Madras, un uomo con una terribile malattia della pelle venne a ricevere il darshan di Amma. Il suo aspetto era così repellente che, al suo passaggio, tutti si tenevano alla larga. I responsabili della fila, vedendo la sua condizione fisica, ebbero pietà di lui e lo condussero subito da Amma, evitandogli di aspettare in coda. Amma non fu per nulla scioccata dal suo aspetto: lo prese tra le braccia e lo accarezzò amorevolmente come fosse un Suo proprio figlio e s'informò della salute e delle sue condizioni di vita. Egli rispose piangendo che non aveva nessun posto in cui andare e che per molti anni aveva cercato di ottenere assistenza da vari enti statali, ma senza risultato. Dopo aver ascoltato le lamentele dell'ammalato, Amma chiamò il *brahmachari* (discepolo celibe) responsabile del Suo ashram di Madras e gli ordinò di costruire immediatamente una casa per quell'uomo, in base al progetto di case gratuite dell'ashram. Poi invitò l'uomo a sedere vicino a Lei, proprio nel mezzo dei dignitari locali che erano venuti per il darshan di Amma. Seduto vicino ad Amma, le lacrime dell'uomo continuarono, ma erano diventate lacrime di gioia. Quest'uomo, che era stato maltrattato e rifiutato per tutta la vita, aveva compreso che lui, agli occhi di Amma, aveva la stessa importanza dei dignitari.

Un giorno, dopo che aveva dato il darshan per molte ore, chiesi ad Amma: "Perché non sembri stanca nemmeno dopo aver abbracciato così tante migliaia di persone? Come puoi essere in grado di fare questo, giorno dopo giorno?".

Amma rispose con noncuranza: "Io non sto facendo niente". Allora ricordai un verso di un *bhajan* (canto devozionale), intitolato *"Amme Bhagavati"*, che Ella scrisse molti anni fa. Dice:

Tan onnum cheyyadhe sarvam chaithidunna
Dina dayalo thozhunnen ninne

Senza fare nulla, Tu fai tutto, o incarnazione di Compassione, io m'inchino a Te.

Amma aveva risposto alla mia domanda parlando dal livello dell'Atman. Dicendo "Io", non si era riferita al Suo corpo ma all'Atman, o Sé reale.

Nella *Bhagavad Gita* c'è un verso interessante, che dice:

karmaṇy akarma yaḥ paśyed akarmaṇi ca karma yaḥ
sa buddhimān manuṣyeṣu sa yuktaḥ kṛtsna-karma-kṛt

Colui che riconosce l'inazione nell'azione e l'azione nell'inazione, è saggio tra gli esseri umani. Tale persona è uno yogi e un perfetto esecutore di tutte le azioni. (4.18)

Sebbene sia così attiva, Amma sa che il Suo Vero Sé non sta facendo nulla: ciò equivale a vedere l'inazione nell'azione. Nel nostro caso, anche quando siamo seduti immobili, i pensieri continuano a sorgere nella nostra mente. Perfino quando siamo seduti in questo modo, dobbiamo fare uno sforzo consapevole – e tale sforzo è un'azione. Superficialmente, possiamo sembrare inattivi, ma stiamo ancora agendo a differenti livelli. Questa è l'azione nell'inazione. Dunque, i Mahatma vedono l'inazione nella propria azione e l'azione nella nostra inazione.

Nel Tao Te Ching, riferendosi ad un Maestro, si dice:

Le cose sorgono e Lui le lascia venire;
Le cose scompaiono e Lui le lascia andare.
Egli ha, ma non possiede;
Agisce, ma non ha aspettative.
Quando il suo lavoro è fatto, lo dimentica.
Ecco perché dura per sempre.

Capitolo 3

Scelta e consapevolezza

Amma racconta una storia. Un indiano fece visita a suo figlio che viveva negli Stati Uniti, dove aveva trovato un lavoro. Quando arrivò a casa di suo figlio, la nuora lo ricevette con amore e rispetto. Chiese al suocero se desiderava una tazza di tè e l'uomo rispose di sì. Prima di recarsi in cucina, la nuora gli chiese: "Quale tipo di tè preferisce? Abbiamo tè nero, tè verde, tè rosso, camomilla, menta al limone, e tè cinese".

"Va bene una tazza di tè normale", rispose l'indiano stringendosi nelle spalle poiché non aveva mai saputo dell'esistenza di tante varietà di tè. La nuora lo lasciò per andare a preparare la bevanda, ma alcuni momenti dopo tornò in salotto. "Ho dimenticato di chiederle", disse, "se desidera del latte nel suo tè".

"Si, per favore", rispose. "Okay", disse lei, "quale tipo di latte desidera? Abbiamo latte intero, al due per cento di grassi, latte scremato, latte di soia, latte di riso, e latte in polvere".

"Del latte normale va bene". Il suocero stava perdendo la pazienza: non aveva mai pensato che una tazza di tè potesse essere così complicata. Sua nuora si allontanò di nuovo, ma aveva appena oltrepassato la porta che tornò indietro e chiese: "Oh, quasi dimenticavo. Vuole dello zucchero?".

"Naturalmente", rispose il suocero.

"Okay. Glielo porterò in un momento. Ma quale tipo di zucchero preferisce? Abbiamo zucchero bianco, zucchero integrale, zucchero grezzo, o i dolcificanti Equal, Nutrasweet e Sweet'n Low".

A quest'ultima domanda il suocero perse la pazienza: "Oh Dio, devo rispondere a tutte queste domande per avere una semplice tazza di tè? Per l'amor di Dio, non voglio più il tè. Può darmi un bicchiere d'acqua, per favore?".

La moglie del figlio non perse l'entusiasmo e sorridendo disse: "Va bene, che tipo di acqua preferisce? Acqua minerale, acqua gasata, acqua vitaminizzata, o acqua tonica?". Il suocero non ce la fece più, si alzò, andò in cucina passando di corsa davanti alla nuora e bevve un bicchiere d'acqua dal rubinetto.

Nel mondo moderno, abbiamo tante scelte perfino per bere una tazza di tè e lo stesso vale per quasi tutto nella nostra vita. Possiamo diventare medici o ingegneri, meccanici, esperti di software o perfino monaci. Possiamo comprare una casa con una sola stanza da letto, con quattro stanze, o un piccolo appartamento, un'auto sportiva, una station wagon o un motorino, ma quando ci troviamo in crisi o falliamo nelle nostre imprese, ci sembra di non aver altra scelta che soffrire.

In verità, anche in tali situazioni abbiamo una varietà di scelte. Di fronte ad un'esperienza dolorosa, possiamo scegliere di pensare che abbiamo esaurito parte del nostro *prarabdha*[3], che stiamo ricevendo una valida lezione sulla natura del mondo, oppure considerarla un'espressione della volontà di Dio. Una simile attitudine può aiutarci ad accettare le esperienze dolorose con equanimità. Tuttavia, a causa del condizionamento mentale acquisito nelle passate esperienze, la maggior parte di noi non è

---

[3] Prarabdha si riferisce alla somma totale delle esperienze che siamo destinati a sperimentare in questa vita come conseguenza delle nostre azioni passate. In occidente, prarabdha è comunemente chiamato karma. Il significato letterale della parola sanscrita "karma" è "azione", come in "karma yoga", o sentiero dell'azione. Per evitare confusione e restare fedeli al significato sanscrito, questo libro usa il termine prarabdha dove sarebbe comunemente usata la parola karma, che sarà invece utilizzata solo secondo la sua definizione letterale.

in grado di pensare positivamente quando si trova in una situazione difficile.

Abbiamo bisogno di superare il nostro modo automatico o meccanico di pensare e reagire: la nostra mente ha bisogno di essere educata a rispondere e agire coscientemente – dobbiamo coltivare la consapevolezza.

Nessuno vuole sentirsi triste, ma accade a tutti, talvolta, di ritrovarsi a terra; nessuno desidera arrabbiarsi, ma tutti perdiamo le staffe. Ciò indica che c'è un divario tra quello che vorremmo essere e quello che siamo: ma possiamo colmare questa distanza coltivando la consapevolezza e imparando a rispondere anziché reagire.

A causa della natura meccanica della mente, commettiamo molto spesso degli errori perché non siamo capaci di valutare correttamente le parole e le azioni, nostre o degli altri. Se qualcuno ci loda, pensiamo che si tratti di una bella persona, ma se poco dopo, quella stessa persona ci critica, ci sentiamo sconvolti o ci arrabbiamo con lei. Nel momento in cui siamo messi a confronto, non ci fermiamo a pensare se sia veramente necessario reagire con collera. Un momento siamo calmi, ma se il momento dopo qualcuno si avvicina urlando contro di noi, immediatamente urliamo a nostra volta. Soltanto in seguito rimpiangeremo di aver perso il controllo.

Se educhiamo la nostra mente ad agire e parlare coscientemente, comprenderemo che abbiamo anche altre possibilità, oltre ad una reazione piena di rabbia e frustrazione, anche se la vita non ci dà quello che vogliamo. Ad esempio, se siamo consapevoli del minimo accenno di collera che sorge in noi, sapremo che stiamo per arrabbiarci e questo ci darà delle scelte: potremo allontanarci dalla situazione pericolosa, o, se decidiamo di restare, avremo la capacità di stabilire quanta collera dimostrare. In queste circostanze, dovremo ricordare il detto: "Se perdete le staffe, preparatevi ad un atterraggio sgradevole".

Quando osserviamo la vita di Amma, vediamo che in situazioni in cui la maggior parte di noi avrebbe perduto ogni speranza, la Sua consapevolezza Le fornì l'abilità di agire in modo differente. Quando i Suoi genitori le negarono il loro amore, anziché provare pena per Se stessa, Amma pensò: "Perché dovrei desiderare di ricevere amore? Che io possa invece dare amore!". Quando i suoi parenti e i vicini la maltrattavano e criticavano, invece di rimuginare sul modo in cui era trattata, Amma diresse la Sua mente verso Dio.

La spiritualità è la tecnica per aumentare il nostro livello di consapevolezza. Meditare, pregare e cercare di seguire i princìpi spirituali nella nostra vita quotidiana, ci aiuterà ad aumentare la nostra consapevolezza e, coltivando maggior consapevolezza, potremo superare gli ostacoli che ci impediscono di realizzare il nostro Vero Sé.

Capitolo 4

Dedizione al dharma

U n concetto importante nella spiritualità orientale è quello di *dharma*. Il termine dharma ha un significato ampio e profondo: inteso semplicemente significa sia giustizia che dovere e, inoltre, indica il compimento di un'azione giusta nel luogo giusto e nel momento giusto.

Per aderire al dharma nella nostra vita, dobbiamo avere una profonda comprensione della natura dell'esistenza e delle persone. In situazioni impegnative o critiche, molti abbandoneranno il dharma, o scenderanno a compromessi con i loro valori, ma Amma, nonostante nella Sua vita si siano verificate molte situazioni simili, non ha mai deviato nemmeno di un millimetro dal sentiero del dharma.

Ricordo un fatto accaduto recentemente che dimostra la dedizione di Amma al dharma. Nel marzo 2003, quando nel Gujarat scoppiarono sommosse interne, Amma si trovava a Bombay. Doveva partire per la regione terremotata di Bhuj, nel Gujarat occidentale, dove doveva inaugurare tre villaggi che l'ashram aveva ricostruito. Per raggiungere quella regione avrebbe dovuto viaggiare attraverso le zone in cui era scoppiata la violenza. Nonostante sapessero che si trattava di un evento importante, molti cercarono di dissuadere Amma dall'andare e parecchi del Suo gruppo si recarono da Lei, uno dopo l'altro, e la supplicarono di non partire, alcuni temendo per se stessi, altri preoccupati per Amma, e Le dissero che sia Lei che i Suoi accompagnatori avrebbero corso dei rischi, sia viaggiando in treno che in autobus. Dato che Amma era un'ospite ufficiale, riceveva dai servizi speciali delle informazioni aggiornate sui rischi relativi alla sicurezza: essi scoraggiarono Amma dall'intraprendere il viaggio. Amma, inoltre, fu informata che, per la stessa ragione, i ministri e il presidente del governo, che dovevano partecipare alla cerimonia, avrebbero anche potuto non essere presenti.

Amma pose definitivamente fine a tutte queste domande e richieste dichiarando: "Io ho deciso di andare, succeda quel che succeda, e coloro che temono per la propria vita non sono costretti a venire". Dopo questa affermazione, decisero di accompagnarLa perfino le persone che non avevano pianificato di andare.

Il programma fu un grande successo e non vi furono incidenti di violenza. Più tardi, Amma commentò che le migliaia di beneficiari del progetto per le case stavano aspettando ansiosamente di incontrarLa da lungo tempo e, poiché avevano perso tutto, non possedevano abbastanza denaro per raggiungerLa da qualche altra parte. Inoltre, desideravano moltissimo che Ella benedicesse le loro case prima di andarvi a vivere. Ecco le ragioni per cui Amma fu così decisa nel far loro visita.

Anche se siamo generosi con gli altri, potremmo ricevere delle risposte negative, ma ciò non dovrebbe impedirci di fare un buon lavoro nel mondo.

Amma dice sempre che si ottiene una vita umana grazie ai meriti acquisiti compiendo buone azioni nelle vite precedenti. Naturalmente, non possiamo scegliere dove o quando nascere, e neppure i nostri genitori, né se essere belli o brutti, alti o bassi, ma possiamo scegliere di essere una buona persona. Sta a noi assicurarci che la benedizione che Dio ci ha dato non diventi una maledizione per noi e per il mondo, facendo un giusto uso della nostra vita.

Tutti noi abbiamo molte responsabilità, oneri e impegni: necessitiamo di un'enorme forza emotiva e spirituale per condurre una vita giusta. Vi sono molte situazioni nelle quali possiamo essere tentati di abbandonare il dharma e scendere a compromessi con i nostri valori. Sul momento, potrebbe sembrare conveniente compiere azione *adharmiche* (ingiuste), ma alla fine, esse avranno certamente spiacevoli conseguenze per noi e per gli altri.

D'altro canto, vivere una vita nel dharma e nei suoi valori costruisce salde fondamenta per una vita ricca e piena di ricompense. Non solo tale vita è un gran beneficio per il mondo, ma può anche aiutarci a divenire degni di ricevere la grazia di Dio, che è il fattore più importante per acquisire successo materiale e spirituale.

Capitolo 5

L'azione illuminata

Nella vita, facciamo talvolta la cosa giusta e talvolta quella sbagliata; naturalmente, se facciamo la cosa giusta, ci sentiamo orgogliosi e ci vantiamo delle nostre azioni giuste, mentre, se facciamo la cosa sbagliata, tendiamo a dare la colpa agli altri. Quando interagiamo con gli altri, prendiamo una decisione, o compiamo una qualsivoglia azione, solitamente teniamo conto solo di fatti e informazioni superficiali – i soli a noi accessibili – e perciò quella che in un certo momento ci sembra essere l'azione giusta, alla fine potrà non risultare quella davvero buona.

Esiste, però, un altro tipo di azione che è al di sopra di ciò che è giusto e sbagliato e che conduce sempre al bene supremo. Questo tipo di azione è chiamata "azione illuminata", ma soltanto un'anima illuminata è capace di tali azioni. Quando un Satguru interagisce con le persone, Egli vede le loro *vasana* (tendenze) più sottili, il loro prarabdha e altri fattori. Poiché noi sappiamo percepire soltanto le azioni fisiche di una persona, non possiamo nemmeno essere certi di quello che sta pensando, o sentendo, in quel momento. Un Satguru, invece, è sempre completamente consapevole del passato, presente e futuro di chiunque incontri. Questa consapevolezza consente al Maestro di agire sempre nel modo che porti i risultati migliori per quella persona.

Ricordo un episodio accaduto molti anni fa all'ashram. Un giorno, un ubriaco entrò nell'ashram e cominciò a discutere senza un motivo con i brahmachari. Quando cercammo di calmarlo e accompagnarlo fuori, l'ubriaco cominciò ad insultarci.

Nonostante i nostri migliori sforzi, l'ubriaco non si calmò, anzi, divenne ancora più irascibile e così decidemmo di portarlo alla polizia. Prima di prendere questa decisione finale, andammo a raccontare il fatto ad Amma. Dopo aver ascoltato le nostre spiegazioni, Amma si diresse verso il luogo dove si trovava l'uomo. A quel punto, l'uomo aveva vomitato parecchie volte ed era quasi incosciente e da lui emanava un putrido odore di vomito e alcool. Guardandolo con occhi pieni di compassione, Amma lo chiamò amorevolmente: "Oh, figlio mio, che cosa ti è successo? Stai bene?". L'uomo guardò Amma con sguardo fisso e borbottò qualche parola, ma non era proprio in grado di rispondere.

Alcuni spettatori si chiesero: "Perché Amma sta perdendo il Suo tempo prezioso con questo ubriacone che meriterebbe soltanto delle bastonate?". Qualcuno chiese addirittura ad Amma: "Amma, per favore, torna nella Tua stanza. Ci prenderemo cura noi di quest'uomo".

Amma non vi prestò attenzione, lavò il viso dell'ubriaco con dell'acqua e pulì tutto il vomito dai suoi vestiti anche se lui faceva un po' di resistenza. Prese la gomma da un vicino rubinetto e gli fece scorrere l'acqua sulla testa per fargli passare la sbornia. Poi lo portò in una stanza vicina e lo fece adagiare su un materasso.

Il mattino seguente, l'uomo era sobrio e i suoi modi erano cambiati un bel po'. Quando comprese quanto Amma si fosse presa cura di lui, fu profondamente toccato dalla Sua compassione e versò abbondanti lacrime di rammarico. Egli tornò a casa quella sera, ma dopo alcune settimane, tornò con la moglie. Durante il loro darshan, la donna, tra le lacrime, confidò ad Amma: "Amma, Tu lo hai completamente cambiato. I miei figli ed io eravamo sul punto di suicidarci a causa del suo comportamento. La sua dipendenza dall'alcool ci ha portato ad avere debiti, ogni giorno tornava a casa ubriaco e ci picchiava. Adesso ha smesso di bere del tutto e ha perfino trovato un buon lavoro. La Tua grazia ha salvato non solo lui, ma anche l'intera famiglia!".

Se i brahmachari avessero portato l'uomo alla polizia – e sembrava la cosa giusta da fare in quel momento – non solo egli sarebbe stato rinchiuso in prigione e avrebbe sofferto ancora di più, ma anche la sua famiglia avrebbe provato il massimo della sofferenza, e sarebbe potuta arrivare perfino al suicidio. Dunque, l'azione "giusta" dal nostro punto di vista avrebbe forse avuto come risultato la morte di molte persone.

Le nostre cosiddette azioni "giuste" possono essere paragonate, talvolta, alla scimmia che cerca di tirare fuori il pesce dall'acquario per salvarlo dall'annegamento. Similmente, noi siamo capaci di vedere le cose soltanto dal nostro livello di comprensione, equivocando il bene finale.

Amma, al contrario, con la Sua profonda intuizione, percepì la soluzione migliore per l'ubriaco non limitandoSi a considerare quella particolare situazione, ma anche il suo futuro e quello della sua famiglia, e la catena di conseguenze che sarebbe sorta dalla linea di azione ideata dai brahmachari. Un'azione illuminata può sembrare perfino errata al momento: solo in seguito comprenderemo che era l'azione perfetta per quella particolare situazione.

Circa cinque anni fa, mentre Amma si trovava in Germania, a Bonn, un devoto in attesa nella fila delle domande mi porse la sua domanda per Amma. La nota spiegava che stava attraversando molte difficoltà finanziarie, inclusi dei debiti, e che aveva anche perso il lavoro e perciò stava cercando l'aiuto di Amma per risolvere questi problemi e poter mantenere sua moglie e due bambini piccoli. La seconda preghiera verteva sul suo desiderio di avere una figlia femmina.

"Che pazzo", pensai tra me, "come può davvero prendersi cura di un altro figlio quando ha già due bambini e una moglie ai quali non sa provvedere adeguatamente? È ovvio che non dovrebbe avere un altro figlio. Che senso ha tradurre questa lettera ad Amma? Non c'è bisogno di un Maestro spirituale come Lei per poter dimostrare la sua stupidità. Posso farlo da solo!". Così pensando, cominciai ad esporgli il mio punto di vista. Mentre ero impegnato in ciò, sentii qualcuno battermi leggermente sulla spalla. Le persone spesso cercano di attirare la nostra attenzione mentre stiamo traducendo per Amma, perciò ignorai quel richiamo, per finire di illuminare quell'uomo. Allora il picchiettio divenne più forte e veloce. Pensai: "Chi ha così tanta faccia tosta da interrompere uno swami senior?". Girandomi, vidi, con mio estremo imbarazzo, che si trattava di Amma!

Ella chiese: "Qual è il problema?".

"Oh, niente, Amma. Stavo solo rispondendo alla sua domanda".

"A chi ha rivolto la domanda?", chiese Amma.

"Beh, la domanda era per Amma, ma... uh..."

"Ma cosa? Allora perché stai rispondendo tu?".

Cominciai a farfugliare una risposta: "Beh, sai, io, uh, volevo solo, uh, sai... oh, non c'è una ragione speciale, Amma. In ogni caso, era una domanda sciocca".

Non credo che la mia risposta impressionò molto Amma. Mi chiese di leggerLe la domanda e poi, senza alcuna esitazione diede la risposta: "Digli che Amma farà un *sankalpa* (risoluzione divina) per lui, affinché abbia una bambina". Nonostante i miei dubbi e riserve che ciò fosse la cosa giusta da dirgli, tradussi la risposta di Amma, per timore che avrei finito col perdere il mio posto di traduttore. Egli era felice, ma io ero infelice. Un dubbio mi restava nella mente circa la risposta che Amma aveva dato, e allora, più tardi, Le feci una domanda sull'argomento. Amma disse: "Nel suo cuore, la tristezza per non avere una bambina è più grande della tristezza e del dolore che sente per le sue difficoltà economiche. Se non avrà una bambina, potrà cadere in depressione e addirittura togliersi la vita".

Nei due anni successivi, il programma di Amma a Bonn si tenne in un luogo diverso, e quest'uomo non venne. Il terzo anno, però, tornammo nella vecchia sala e l'uomo arrivò e, quella volta, con una bambina piccola in braccio. Sembrava così pieno di gioia e, quando venne per il darshan, spiegò che la risposta amorevole e rassicurante di Amma gli aveva dato nuove prospettive di vita: era uscito dal bozzolo della sua depressione con mente lucida e aveva trovato un buon lavoro che lo aveva aiutato a pagare quasi tutti i suoi debiti. La nascita della bella figlia lo aveva reso ancora più felice.

Amma sapeva che il più grande ostacolo nella vita di quel devoto era il suo profondo desiderio di avere una bambina, e, una volta soddisfatto quello, tutti gli altri problemi si sarebbero risolti. Valutando solo i fatti evidenti, chiunque avrebbe probabilmente tirato la mia stessa conclusione circa la saggezza del suo desiderio di avere un altro figlio, ma Amma poteva vedere gli strati profondi della sua mente e aveva dato la risposta migliore per lui.

Quando Amma fa delle affermazioni sul futuro, esse si realizzano sempre, indipendentemente da quanto improbabili possano sembrare all'inizio. Alcune settimane dopo il mio primo incontro con Amma, andai a incontrarLa con un amico in casa di un devoto. Arrivammo un po' tardi e Amma aveva già eseguito la *puja* (adorazione). Quando entrammo, vedemmo che i devoti seduti intorno ad Amma stavano mangiando. Il mio amico stette in piedi ad una certa distanza e si rifiutò di avvicinarsi ad Amma perché pensava che Lei avrebbe dovuto aspettarlo prima di cominciare a mangiare, dal momento che L'aveva informata che sarebbe venuto. Amma lo invitò due o tre volte a ricevere il Suo *prasad*[4], ma egli rifiutò ancora. Amma gli disse: "Figlio, avrai simili opportunità con Amma non per molto tempo ancora: nel giro di pochi anni, persone da tutto il mondo cominceranno a

---

[4] Ogni cosa benedetta dal Guru è chiamata prasad, e ogni altra offerta al Guru o a Dio è santificata e perciò diventa prasad.

venire per vedere Amma e occasioni come queste diventeranno molto rare". Quando il mio amico finalmente decise di avvicinarsi ad Amma, vide che, mentre tutti gli altri devoti avevano già cominciato a mangiare, Amma non aveva ancora toccato cibo e aveva perfino messo da parte dei piatti per noi due. Quando il mio amico vide ciò, si pentì del suo errore e chiese perdono ad Amma. Alcuni anni dopo si accorse che le parole di Amma erano diventate realtà.

Le Scritture affermano che c'è un'autorevolezza nelle parole e azioni dei Maestri spirituali al di là della nostra comprensione intellettuale, e dunque ogni giudizio che esprimiamo su di loro sarà destinato ad essere errato. La seguente storia illustra questo punto. C'erano due elefanti ciechi che non concordavano su che cosa fossero gli esseri umani e che perciò decisero di cercare di capirlo, toccandone uno con i piedi. Il primo elefante lo toccò con il suo piedone e dichiarò: "Gli esseri umani sono piatti". L'altro elefante, dopo aver "toccato" in modo simile un umano, concordò e il problema fu risolto. Esattamente come gli elefanti mancano della sensibilità necessaria per comprendere con i piedi un essere umano, così le nostre menti non sono abbastanza sottili da afferrare le azioni dei Maestri.

Tutte le azioni di un Vero Maestro sono illuminate, proprio come ogni oggetto fatto con legno di sandalo emanerà la fragranza dell'albero di sandalo. Ciò accade perché i Maestri sono stabiliti nella Conoscenza Suprema e come tali, qualunque cosa facciano sarà per il meglio. Anche se non li comprendiamo, dobbiamo essere aperti al loro consiglio e guida.

Nella *Bhagavad Gita*, il Signore Krishna descrive la Conoscenza Suprema come la cosa più meritevole che un essere umano possa raggiungere:

rāja-vidyā rāja-guhyaṁ pavitram idam uttamam
pratyakṣāvagamaṁ dharmyaṁ su-sukhaṁ kartum
avyayam

*Questa è la più grande di tutte le conoscenze, il re dei
segreti. Estremamente purificante, può essere sperimen-
tata direttamente, e produce risultati eterni. È inoltre
molto facile da praticare ed è in accordo col dharma.*

(9.2)

Una persona che possiede la Conoscenza Suprema è sempre
identificata con la Verità, o *Brahman*, e in nessuna circostanza
soffrirà di qualsivoglia crisi d'identità, o sarà trascinata da emozioni o attaccamenti. Amma è completamente identificata con la
Verità Suprema, la sorgente inesauribile di energia e beatitudine:
ecco la ragione per cui può sedere per molte ore e rimanere sempre fresca, manifestando così tanto potere. Sebbene negli ultimi
30 anni persone di ogni parte del mondo continuino a venire da
Lei con gli stessi problemi, Ella non si annoia mai di ascoltare,
confortare, consigliare e consolare.

La Verità Suprema è molto preziosa e ugualmente prezioso
è stare con chi è un'incarnazione di questa Verità. Cerchiamo
di essere consapevoli e grati della meravigliosa opportunità di
trovarci alla presenza di un Grande Maestro come Amma.

Capitolo 6

La grandezza dell'umiltà

Amma dice: "Per quanto potente sia un ciclone, non potrà fare nulla ad un filo d'erba, mentre sradicherà alberi enormi con le loro grandi chiome alte nel cielo". E dice inoltre: "Se portiamo il peso dell'ego, il vento della grazia di Dio non ci potrà innalzare".

Vediamo dunque che l'umiltà è molto importante: se abbiamo un atteggiamento umile, la grazia divina fluirà in noi. Purtroppo l'umiltà è una qualità molto rara nella società moderna. Per quanti giorni parliamo con i nostri amici della nostra grandezza, se abbiamo fatto qualcosa di notevole? La prima cosa di cui parliamo è la nostra grandezza. Qualcuno si vanta perfino della propria umiltà!

Se vogliamo sapere a che cosa assomigli la vera umiltà, ci basta guardare Amma. Sebbene abbia realizzato così tanto e sia adorata da milioni di persone, Amma non dice mai "Io sono grande", tutt'altro, grazie alla Sua umiltà, ci dice: "Non so niente, sono solo una ragazza folle". Non si vanta mai della Sua grandezza e questa è la vera grandezza.

Come forse saprete, Amma ha personalmente consacrato 17 templi in India e all'estero. Tutte le volte che Ella consacra un nuovo tempio, grandi folle di devoti si radunano per assistere a questa sacra occasione. Come parte della cerimonia di consacrazione, Amma installa la statua a quattro facce, che sarà il sancta sanctorum del tempio. Alla consacrazione del primo Tempio *Brahmasthanam*, proprio prima di installare l'immagine della divinità, Amma uscì da ognuna delle quattro porte del tempio e con le mani giunte chiese le benedizioni di tutti i devoti riuniti.

Vedendo ciò, molti di noi erano in lacrime: ecco Colei che aveva benedetto milioni di persone, così umile da pregare per avere la nostra benedizione. Non ne aveva certo alcun bisogno, ma stava semplicemente ricordandoci l'importanza dell'umiltà.

Nel Tao Te Ching, si dice:

> *Il Maestro è al di sopra della gente,*
> *Ma nessuno si sente oppresso.*
> *Egli precede la gente,*
> *Ma nessuno si sente manipolato.*
> *Il mondo intero Gli è riconoscente.*
> *Non è in competizione con nessuno,*
> *Perciò nessuno può competere con Lui.*

Parlando ad Amritavarsham 50, la celebrazione del cinquantesimo compleanno di Amma, Yolanda King, figlia di Martin Luther King (e paladina della pace lei stessa), disse: "Ciò che apprezzo in Amma è che non solo parla le Sue parole… Lei agisce in base ad esse!". Come ha sottolineato eloquentemente la sig.ra King, Amma mette sempre in pratica quello che predica.

Durante il tour del nord India del 2004, il Suo programma di una notte a Durgapur finì alle 6,30 del mattino. Intorno alle 10, tutti si erano rinfrescati e riposati e aspettavano accanto ai bus che Amma uscisse dalla Sua stanza per continuare il tour fino a Calcutta, che era la tappa finale. Molti brahmachari erano in piedi vicino all'auto di Amma e poiché erano spesso troppo impegnati durante il programma per starLe vicino, quella era una delle poche occasioni per vederLa. Mentre erano là, un giovane avvicinò un brahmachari e cominciò a fargli delle domande su Amma poiché il giorno precedente non era venuto per il darshan di Amma, intimorito dalla lunghezza della fila. Stava proprio chiedendo che cosa rendesse Amma davvero speciale – perché così tante persone volessero incontrarLa e ricevere le Sue benedizioni – quando Amma uscì dalla Sua stanza. Il giovane corse verso di

Lei, che lo avvicinò a Sé e lo baciò. Amma diede il darshan ad alcuni altri devoti che stavano aspettando là vicino e poi si diresse verso l'auto in attesa.

Però non andò lontano. L'auto percorse solo poche centinaia di metri fino al luogo dove la notte prima si trovava l'area in cui più di 15.000 persone avevano cenato gratuitamente. Il programma si era tenuto nel grande spazio all'aperto usato per le attività ginnico-sportive dei bambini di una scuola elementare Amrita Vidyalayam di Amma. Il terreno, che di solito era molto ordinato, in quell'occasione era un vero disastro: foglie dell'albero di teak (che erano servite come piatti) con avanzi di cibo erano sparpagliate ovunque, i bidoni dei rifiuti erano pieni, anzi, straripanti, e c'era anche un sacco di iuta pieno di patate marce.

L'auto di Amma parcheggiò in prossimità di quel campo, Amma scese dall'auto indossando uno scintillante sari bianco e Lei stessa cominciò a rimettere in ordine. Tutti i brahmachari e i devoti presenti corsero sul luogo e cercarono di dissuaderLa dal farlo – dopotutto la notte precedente Lei aveva lavorato più duramente di tutti gli altri messi insieme, e aveva un altro programma il mattino seguente. Sapevano che si sarebbe dovuta fermare sulla via di Calcutta e passare del tempo con coloro che viaggiavano con Lei, e che quella sera avrebbe dovuto incontrare gli organizzatori del programma e i dignitari locali. Perché avrebbe dovuto pulire anche tutta quella sporcizia?

In prima fila fra coloro che protestavano c'erano i devoti che avevano avuto il compito di servire i pasti la sera prima, e il giovane che aveva appena incontrato Amma per la prima volta. Il devoto responsabile del servizio chiese perdono ad Amma dicendo: "Amma, per piacere, non farlo. So che avrei dovuto pulire questo posto la scorsa notte. Amma, per favore continua il tuo viaggio e lascia a me la pulizia di quest'area".

"Amma non ti sta criticando," lo rassicurò. "Se Amma parte, tutti i brahmachari e devoti la seguiranno; se invece rimane qui, tu hai a disposizione un esercito di aiutanti per pulire il posto. Ecco perché Amma ha deciso di restare: in questo modo, il lavoro sarà finito in fretta".

Amma si avvicinò al sacco di patate marce, dicendo: "Peccato che tutto questo cibo sia stato lasciato marcire, quando ci sono così tante persone che non possono averne neppure una manciata per alleviare la loro fame". Poi chiese che fosse portato un carretto, dicendo: "Che nessuno di voi tocchi queste patate. Sono così putride che potreste infettarvi seriamente: per maneggiare cose simili bisogna avere dei guanti protettivi". Ma quando il carretto fu portato, Amma caricò le patate marce usando le Sue mani nude, con grande sgomento di tutti i presenti. Il giovane che aveva appena incontrato Amma era proprio vicino a Lei e cercò fisicamente di impedire che facesse quel lavoro, protestando: "Amma, Tu sei il Guru, non devi fare queste cose. Per favore, lascia che lo faccia io".

Amma fu irremovibile sul fatto che solo Lei poteva maneggiare le patate marce mentre swami, brahmachari e devoti andavano avanti e indietro lungo il campo raccogliendo le foglie di teak e avanzi di cibo. Amma cominciò a fare spazio nei contenitori dei rifiuti selezionando e togliendo tutta la plastica: mescolati con i rifiuti organici, infatti, c'erano molti pacchetti di plastica per il latte che Amma mise in un mucchio a parte, affermando che potevano essere lavati e venduti e il ricavato utilizzato per sfamare i poveri. Il Suo splendente sari bianco si era sporcato di verde e marrone, a causa dei rifiuti, e puzzava di cibo marcio, ma Lei era sempre sorridente e radiosa come al solito.

Nel giro di venti minuti, il terreno, che era stato un disastro, ritornò in ottime condizioni. Alla fine, Amma si diresse verso la Sua auto e invitò tutti, esclusi i brahmachari, a risalire sui bus e partire. Ai brahmachari disse di rimanere e assicurarsi che i rifiuti rimasti fossero eliminati e il terreno ben spazzato.

Dopo che Amma partì, il giovane che aveva appena avuto da Amma il suo primo darshan, commentò: "Io mi aspettavo un guru seduto su una poltrona dorata a distribuire consigli, e penso che neppure nei miei sogni più sfrenati avrei mai potuto immaginare Amma che puliva del cibo marcio. Ci sono molte persone che vivono nei bassifondi di Calcutta e di altre città di questo stato (Bengala occidentale). Se le persone seguissero l'esempio di lavorare per gli altri come fa Amma, anziché aspettarsi che gli altri lavorino per loro, penso che non rimarrebbe povertà nella regione. Ho visto molti uomini politici fare vuote promesse: ora ho trovato qualcuno che agisce veramente in modo significativo". Sembrava che la domanda del giovane – Che cosa rende Amma così speciale? – avesse trovato risposta.

Il ragazzo stava aspettando un guru ma quello che trovò fu un Satguru. Un Vero Maestro insegna sempre con l'esempio. Amma dice che dobbiamo essere pronti a fare qualunque lavoro in qualsiasi momento e, se Lei non mettesse in pratica questo insegnamento, potrebbe essere difficile seguire le Sue istruzioni. Avendo visto Amma intraprendere il più repellente dei lavori – e nel momento meno conveniente – molti Suoi devoti sono stati capaci di superare le loro preferenze e avversioni e fare tutto il necessario per servire le persone bisognose.

L'anno prima, durante il tour del nord India del 2003, Amma andò nel Suo nuovo ashram di Bangalore subito dopo aver finito il programma a Mysore. Quando un anziano devoto Le si avvicinò per eseguire la *pada puja* (la cerimonia del lavaggio dei piedi, dimostrazione di amore e rispetto), Ella disse: "Figlio, Amma non ha fatto il bagno. Amma ha lasciato Mysore immediatamente dopo aver finito di dare il darshan, perciò non è appropriato fare la pada puja adesso". Vedendo però la delusione nel suo volto,

Amma si intenerì. "L'amore abbatte tutte le barriere", disse, e il devoto poté lavare i piedi di Amma con le lacrime che gli scendevano lungo le guance.

Dopo la pada puja, Amma cominciò a salire le scale che portavano alla Sua stanza. Improvvisamente si fermò e nel vedere la veranda la Sua espressione mutò. Il pavimento di marmo scintillava, forse per il fresco strato di cera. "Chi ha costruito questo?", chiese. Il brahmachari incaricato della costruzione dell'ashram di Bangalore si avvicinò e si prostrò davanti ad Amma.

"Non ho bisogno dell'inchino di nessuno", disse Lei in tono serio.

"Amma, i devoti di Bangalore l'hanno costruito in segno del loro amore per Te", disse il brahmachari con voce flebile.

Amma ribatté immediatamente: "Supponi che costruiscano un palazzo d'oro come simbolo del loro amore, staresti a guardare tranquillamente? Amma sente che i Suoi devoti non sono separati da Lei e poiché hanno costruito questa stanza col loro denaro, Amma si sente male perché hanno speso tanti soldi per il Suo benessere". Continuò: "Sono nata nella famiglia di un umile pescatore e ho condotto un'infanzia semplice. Più tardi, quando sono stata cacciata di casa, stavo all'aperto. Ho meditato sotto il sole cocente e la pioggia sferzante: non sono abituata al lusso, né lo desidero. Non è appropriato che io viva in una stanza così fastosa, mentre invito alla semplicità. In aggiunta, trascorro qui soltanto tre giorni l'anno. Non è giusto spendere queste grandi somme per un ashram". Le Sue parole erano acuminate come frecce.

Il brahmachari cercò di spiegare ad Amma che il pavimento non era così costoso come sembrava, ma Amma non badò alle sue parole, aggiungendo che avrebbe dormito all'aperto, piuttosto che stare in quella stanza. A questo punto, Swami Amritaswarupananda disse: "Se Amma non desidera stare nella nuova stanza, può forse rimanere in quella vecchia con il pavimento di cemento". Amma cedette e si diresse verso la stanza usata negli anni precedenti.

I devoti, che non avevano mai visto Amma di quell'umore, erano sbigottiti. Qualcuno si sentiva colpevole perché aveva contribuito alla costruzione della nuova stanza, qualcun altro divenne molto abbattuto, altri erano in lacrime, ma tutti erano stupefatti dall'integrità e umiltà di Amma.

"Perché Amma ha rifiutato il simbolo del nostro amore?", si chiedevano. "È sbagliato offrire al Guru il nostro meglio? Oltretutto, Ella non merita niente di meno che il meglio. Perché Amma non ha accettato la stanza? Milioni di persone nel mondo La riveriscono come un Satguru e la Madre Divina; chi avrebbe messo in discussione il Suo diritto di vivere in questa stanza?".

Nella *Bhagavad Gita*, il Signore Krishna afferma:

yad yad ācarati śreṣṭhas tat tad evetaro janaḥ
sa yat pramāṇam kurute lokas tad anuvartate

Qualunque cosa facciano le persone nobili, gli altri la imiteranno. Qualunque cosa stabiliscano come modello, il mondo la seguirà. (3.21)

Le azioni di Amma sono così carismatiche che inconsapevolmente noi cominciamo ad imitarle: molti si prostrano prima di sedere a terra o portano un libro alla fronte prima di leggerlo, altri si salutano dicendo "Om Namah Shivaya"; non abbiamo forse preso da Amma queste abitudini? Tutto ciò che riguarda Amma è così bello che vogliamo farlo diventare nostro. Se Amma vivesse una vita lussuosa, vorremmo fare lo stesso".

Quella sera, Amma si recò in visita in una casa privata e quando ritornò, centinaia di devoti circondarono l'auto di Amma cominciando a supplicarLa di accettare la nuova stanza. Uno disse: "Amma, per favore, perdonaci e stai nella stanza nuova!". Un altro disse: "Amma, abbiamo agito da ignoranti, non ripeteremo

di nuovo un simile errore, ma per favore, stai nella nuova stanza".
Alcune donne cominciarono a piangere.

Amma era irremovibile. Un devoto cercò di usare la logica
per persuadere Amma a trasferirvisi, dicendo: "Tutto il denaro
speso per costruire la stanza sarà sprecato, se Amma non ci starà,
perché nessun altro la userà in futuro".

"Affittatela!" esclamò Amma. "Usate il denaro dell'affitto per
aiutare i poveri. Amma ha conosciuto molte persone povere malate
di reni che non possono affrontare la spesa di un trapianto. Queste
persone hanno bisogno di una dialisi regolare che costa migliaia
di rupie. Un trapianto di rene costa almeno centomila rupie e
anche se potessero pagare l'operazione, dovrebbero pagare la cure
postoperatorie e le medicine. Come può un povero che non sa
nemmeno come sfamarsi, sostenere trattamenti così costosi? Una
persona con una prospettiva di vita di ottant'anni può morire a
quaranta, perché non ha denaro per pagare le cure mediche. Non
siamo allora tutti responsabili per la morte prematura di quella
persona? I soldi spesi per il lusso possono essere usati per salvare
molte vite come queste".

I devoti accettarono la sconfitta. Amma si avviò verso la Sua
vecchia stanza. Prima di entrare, si girò a guardare i volti dei
devoti. Ci fu un improvviso cambiamento nella Sua espressione.
Il volto di Amma espresse amore e compassione e, con voce dolce,
Lei disse: "Sì" e iniziò a dirigerSi verso la stanza nuova. La tensione
nell'aria si dissolse, portando sollievo e gioia, e i devoti espressero
rumorosamente la loro gratitudine ad Amma.

Amma aveva fatto tutto quello che poteva per dimostrare ai
presenti che il denaro non era stato ben speso, ma alla fine aveva
deciso di agire in base allo straripante amore e compassione che
nutriva per i Suoi figli. Sapeva che i loro cuori speravano che Lei
stesse in quella stanza e non voleva rattristarli. Anche mentre

insegnava l'umiltà, Ella dava l'esempio estremo: al di sopra di tutto, fate che le vostre azioni siano guidate dall'amore.

Parte 2

La via del successo supremo

Seguite gli esseri luminosi,

Il saggio, il risvegliato, l'amorevole,

Poiché sanno come lavorare e come sopportare.

Seguiteli

Come la luna segue il cammino delle stelle.

Dhammapada (Scrittura Buddista)

Capitolo 7

Il corpo, la mente e l'intelletto: manuale d'uso

Tutti noi usiamo ogni giorno molti strumenti e macchine di vario tipo per svolgere i nostri compiti e soddisfare i bisogni quotidiani, ma se non ne facciamo l'uso appropriato, anziché trarne dei benefici, possiamo addirittura farci del male. Gli strumenti che usiamo devono essere sotto controllo e ubbidire ai nostri comandi, se vogliamo ricavarne il massimo vantaggio.

Supponiamo di essere alla guida di un'auto e di volere girare a sinistra ma che l'auto ci dica "no, svolterò solo a destra" – ci troveremo nei guai! Tutti conosciamo quelle storie di fantascienza nelle quali le macchine prendono il controllo sugli esseri umani, ma nessuno desidera che ciò si realizzi, perché rappresenterebbe un incubo per la nostra vita. Purtroppo, una situazione simile ha già trovato posto nella nostra esistenza.

Il nostro corpo, la nostra mente e il nostro intelletto sono gli strumenti che ci sono stati dati per rendere confortevole il viaggio della nostra vita, ma spesso scopriamo che non siamo capaci di usarli come vorremmo, e che, anzi, gli stessi strumenti stanno usando noi. Se talvolta pensiamo che la nostra vita stia procedendo miseramente, il problema potrebbe consistere negli strumenti che usiamo.

In Occidente si pensa spesso che la mente e l'intelletto siano la stessa cosa. Secondo il *Vedanta*[5] vi sono quattro strumenti interiori, o meglio, quattro distinte funzioni svolte da un unico strumento. Queste sono *manas* (mente), *buddhi* (intelletto), *chitta* (memoria) e *ahamkara* (ego).

Manas è la sede delle emozioni. È nella mente che percepiamo di essere tristi, arrabbiati, felici o tranquilli, e sempre nella mente risiede la capacità di dubitare. Buddhi è il potere decisionale che ci consente di scegliere una cosa anziché un'altra. Tutte le nostre azioni sono indotte dalle decisioni dell'intelletto. Chitta è l'archivio dei nostri ricordi e quindi è la base di tutti i nostri preconcetti in merito agli oggetti, alle persone e alle situazioni che incontriamo nella vita. Ahamkara è la sensazione che nutriamo circa il fatto che "io" sto compiendo una certa azione e "io" sto sperimentandone gli effetti.

Qui ci occuperemo principalmente della mente e dell'intelletto. Il Vedanta ci dice che la mente non è altro che un flusso di pensieri. Proprio come un solo albero non può essere chiamato foresta, così non possiamo considerare mente la presenza di un solo pensiero concentrato, o l'assenza di pensieri. Perciò durante il sonno profondo la mente sperimenta una morte temporanea, perché quando dormiamo profondamente tutta la nostra agitazione si ferma. Ecco perché dopo una buona dormita ci sentiamo sereni e freschi: se fossimo in grado di mantenere quello stato di calma anche durante le ore di veglia, potremmo risolvere la maggior parte dei nostri problemi mentali.

Sfortunatamente, per la maggior parte del tempo siamo noi a rimanere sotto il controllo della mente anziché il contrario: lo strumento ci sta usando per fare ciò che vuole. Amma ci dà spesso

---

[5] *Vedanta* significa letteralmente "La fine dei Veda" e si riferisce alle Upanishad che trattano il tema di Brahman, o Verità Suprema, e il sentiero per realizzarLa.

il seguente esempio: finché il cane sarà in grado di scodinzolare, sarà anche felice e contento, ma se la coda cominciasse a "scodinzolare" il cane, il cane non avrebbe più un solo momento di pace e perfino il mangiare e dormire diventerebbero un'impresa. La nostra situazione è simile a quella di un cane che è agitato dalla sua coda.

Amma afferma che se impariamo ad usare la mente nel modo corretto, la nostra vita sarà più pacifica. Senza un certo grado di pace mentale, non possiamo meditare, né eseguire con concentrazione altre pratiche spirituali, perciò è necessario controllare gli strumenti di corpo, mente e intelletto.

Se la mente non è sotto controllo, non saremo in grado di gioire di nulla, indipendentemente da quanta tranquillità ci sia intorno a noi. Attualmente, la nostra mente è come un cavallo selvaggio. Nessuno desidera essere triste o arrabbiato, eppure, quando affrontiamo situazioni difficili, sperimentiamo invariabilmente questi sentimenti perché non siamo capaci di usare la mente e l'intelletto come vorremmo. Infatti, solo se essi sono sotto il nostro controllo, possiamo affrontare una situazione critica con una mente calma e tranquilla.

Tutti abbiamo molti difetti nella mente: impazienza, gelosia, rabbia, avidità, tendenza a criticare, ecc. Il Guru crea situazioni per portare alla superficie questi difetti, poi evidenzia i nostri errori e, dopo che ne siamo divenuti consapevoli, ci aiuta a superarli.

Nei primi tempi dell'ashram, quando Amma introdusse la disciplina quotidiana della sveglia alle 4.30 del mattino e della meditazione per un determinato numero di ore al giorno, alcuni di noi non furono felici, perché avevamo l'abitudine di dormire a lungo e non volevamo svegliarci presto al mattino. In verità, qualcuno scelse perfino di non partecipare alla meditazione delle 4.30 e all'*archana* (adorazione).

Quando Amma scoprì che alcuni di noi non presenziavano alla prima adorazione del mattino, cominciò a parteciparvi Lei stessa. Molto spesso Ella andava a letto solo dopo la mezzanotte, tuttavia, per ispirarci ad alzarci presto, Amma era pronta per la preghiera e la meditazione prima delle 4.30. Scoprendo che Amma era presente all'archana nonostante il brevissimo riposo, provammo rimorso e cominciammo a parteciparvi regolarmente, così fummo in grado di superare la nostra schiavitù nei confronti di questo aspetto del corpo fisico, evitando di concedergli la comodità di lunghe ore di sonno.

Eravamo sempre emotivamente agitati quando Amma faceva qualcosa che non ci piaceva, ci indicava i nostri errori o lodava qualcuno che non apprezzavamo: andavamo via col broncio, o addirittura litigavamo con Lei. Nei primi tempi, Amma non prestava molta attenzione alle nostre reazioni, ma dopo alcuni anni, cominciò a considerare seriamente tali eccessi d'ira e, quando reagivamo negativamente alle situazioni o alle Sue istruzioni e parole, Si rifiutava di mangiare o bere. Qualche volta rimase perfino sotto il sole cocente, sotto la pioggia battente, o immersa fino alla vita nell'acqua dello stagno vicino, punendo Se stessa per i nostri errori. Ci disse: "Siete tutti venuti da Amma per raggiungere l'obiettivo della realizzazione del Sé; se Amma non correggesse i vostri errori, non sareste in grado di fare un reale progresso, e così Amma non vi renderebbe giustizia. È per aiutarvi a crescere spiritualmente che Amma ha adottato tali dure misure".

Più tardi, ci consigliava amorevolmente su come affrontare circostanze analoghe nel futuro e creava, in seguito, varie situazioni per metterci alla prova e vedere se stavamo imparando la lezione che dovevamo imparare. Grazie alla Sua infinita pazienza e incommensurabile compassione, cominciammo lentamente a prendere coscienza delle nostre reazioni negative e a pentirci delle nostre precedenti sciocchezze. Amma ci ha insegnato come fare buon uso degli strumenti della mente e dell'intelletto, anziché essere usati da loro.

Amma sta servendoSi del corpo, della mente e dell'intelletto esclusivamente per il bene dei Suoi figli. Chi riuscirebbe a stare seduto come Amma per il darshan per ore e ore, giorno dopo giorno? Osservando la Sua vita, possiamo inoltre imparare come fare il miglior uso degli strumenti che Dio ci ha dato. Ovviamente non potremo imitare quello che Amma sta facendo, ma, invece di dire semplicemente "Lei è meravigliosa", potremo cercare anche noi di imparare l'arte di dominare il nostro corpo, la nostra mente e il nostro intelletto. Soltanto allora potremo gioire di una vera pace e felicità; altrimenti, ogni situazione della vita ci turberà.

Non dobbiamo credere che si tratti di un'impresa impossibile. Ci sono molte persone che dimenticano il cibo e il sonno quando si tratta di lavorare per promuovere i loro affari. Il loro impegno nel raggiungere i traguardi che si sono dati è tale che sono capaci di far obbedire il corpo alla loro volontà. Un devoto mi ha detto: "Anche mio figlio si dimentica di dormire e mangiare per alcuni giorni – quando guarda i Mondiali di calcio alla TV!". Per fare un altro esempio: se il datore di lavoro è arrabbiato, si è capaci di controllare la propria collera, e non si reagisce per paura di essere licenziati.

Dunque, siamo in grado di controllare il corpo, la mente e l'intelletto perfino in situazioni difficili, se siamo impegnati a raggiungere un certo obiettivo, o se siamo molto dediti all'oggetto della nostra attenzione; dovremo estendere questa capacità anche alle pratiche spirituali e al comportamento verso gli altri.

Come devoti di Amma, è la nostra devozione per Lei che ci aiuta a sviluppare questa capacità. Molti anni fa, mentre lavoravo in una banca, facevo dello straordinario per guadagnare di più, ma quando lasciai quel posto per diventare un residente fisso dell'ashram tutto il mio entusiasmo per il lavoro scomparve e divenni piuttosto pigro. Vedendo l'amore di Amma per noi, però, volevo aiutarLa in qualsiasi modo possibile, anche se piccolo. Ciò mi consentì di sfuggire alla pigrizia e di superare l'attaccamento al mio comfort fisico.

Quando il nostro amore e affetto per Amma supereranno l'attaccamento ai piaceri del corpo e i desideri della mente, saremo in grado di portare tali strumenti sotto il nostro controllo in modo naturale.

Capitolo 8

Lo scopo della vita

L a vita è un viaggio, e questo corpo è il veicolo datoci per portarlo a termine. È il viaggio dal piccolo sé al Sé Infinito, ecco perché le Scritture affermano: "In verità, il corpo umano è lo strumento per realizzare Dio, lo scopo più alto della vita".

In Occidente, però, spesso la vita umana e il corpo non vengono collegati a questo fine elevato e nobile. Shakespeare, addirittura, definisce la vita come "un racconto narrato da un idiota, pieno di rumore e violenza, e totalmente privo di significato".

A causa della frustrazione possiamo dire, talvolta, che la nostra vita è inutile, o che non vogliamo più vivere. Tuttavia, se qualcuno ci dicesse: "Ti regalerò un milione di Euro in cambio delle tue mani e delle tue gambe", non prenderemmo in considerazione l'offerta, perché il nostro corpo ha molto valore per noi. Potremmo dare un rene, ma non entrambi, perché il corpo è la cosa più preziosa che abbiamo. Possiamo dunque dire che la nostra vita è inutile se non siamo disposti a cedere nessuna parte del nostro corpo nemmeno per un milione di Euro? La nostra vita è sicuramente un dono, una benedizione di Dio.

La tradizione induista sostiene che, prima di ottenere una nascita umana, dobbiamo attraversare centinaia di migliaia di vite, partendo dalle forme più basse, da un filo d'erba ad un albero, da un verme all'uccello che se ne nutre, alla scimmia e a vari altri animali. Anche dal punto di vista dell'evoluzione biologica, quanti miliardi di anni ci sono voluti affinché l'essere umano apparisse sulla terra? Quanto travaglio ha dovuto attraversare il creato per forgiare il corpo umano, iniziando dall'ameba unicellulare fino al pesce nel mare, ai rettili e agli uccelli e, infine, alle scimmie e all'uomo di Neanderthal?

Nonostante il corpo umano sia tanto prezioso, la tendenza generale nel mondo odierno è quella di non considerarlo niente di più che uno strumento per godere dei piaceri della vita. Amma afferma che va bene gioire di tali soddisfazioni terrene, purché non ce ne innamoriamo al punto da non riuscire a realizzare il nostro Vero Sé. Le *Upanishad* definiscono questo fallimento *mahati vinashti*, o "la grande perdita". Qualunque felicità mondana rappresenta soltanto una frazione infinitesimale della beatitudine della Realizzazione del Sé e, in realtà, anche quella felicità non scaturisce dal mondo esterno: quando soddisfiamo un particolare desiderio, la nostra mente smette di aggrapparsi a qualcosa di esteriore, seppure per poco, e in quel momento ci sentiamo felici. Ma da dove proviene questa felicità? Quando la mente cessa per un attimo i suoi ininterrotti sforzi per acquisire e ottenere, possiamo percepire debolmente la beatitudine del nostro Vero Sé, come un riflesso che passa attraverso le tenebre del nostro ego, degli attaccamenti e dei nostri preconcetti, ed è questo flebile riverbero che chiamiamo felicità. La maggior parte di noi corre dietro a questo riflesso anziché cercarne la sorgente, che è rappresentata dal nostro vero Sé. Mahatma come Amma non sono mai ingannati da tale riflesso: sono completamente appagati nel Sé che è l'origine e la base di ogni altra cosa.

Si dice che Albert Einstein, nei suoi ultimi giorni di vita, abbia detto: "Talvolta ho il sospetto che la mia vita sia stata uno spreco. Ho studiato le stelle più lontane dimenticando completamente di indagare in me stesso – la stella più vicina!". Eppure, per convenienza, preferiamo ignorare o distorcere affermazioni tanto significative o profonde, seppure dette da persone che teniamo normalmente in grande considerazione, perché ci fanno sentire a disagio.

Mentre godiamo del mondo, non dobbiamo dimenticare lo scopo più elevato della vita. Abbiamo ricevuto il corpo, la mente e l'intelletto come risorse che dobbiamo imparare ad usare correttamente per il raggiungimento dello scopo della vita umana, se non vogliamo che si trasformino in fardelli.

Nella *Katha Upanishad* il corpo è paragonato ad un carro: l'intelletto è il conduttore, i cinque sensi sono i cinque cavalli che tirano il carro, mentre la mente costituisce le redini che controllano il carro. Il conduttore deve conoscere la destinazione, il tragitto per giungervi e avere un buon controllo sui cavalli. Se egli possiede le giuste qualità, può raggiungere la meta anche con un veicolo in cattivo stato, ma se non è qualificato, non sarà mai capace di arrivare a destinazione, nemmeno con un veicolo perfetto.

Con il Suo esempio, Amma ci mostra chiaramente il modo giusto di usare la nostra vita per raggiungere l'obiettivo supremo della vita usando il corpo per aiutare gli altri, la parola per consolarli amorevolmente e la mente per coltivare buoni pensieri e preghiere. Amma dice: "Colui le cui gambe corrono per aiutare chi soffre, le cui mani desiderano dare conforto agli afflitti, i cui occhi versano lacrime di compassione, le cui orecchie ascoltano i lamenti degli afflitti, le cui parole portano conforto a chi si trova nel dolore – egli è in realtà il vero amante di Dio".

Amma dice di voler tenere qualcuno tra le Sue braccia e asciugargli le lacrime, anche nel momento in cui Lei stessa esalerà l'ultimo respiro. Perfino per quelli che La odiano, Amma ha solo parole d'amore e compassione.

Ricordo un episodio nel quale due residenti dell'ashram ebbero una discussione: uno dei due era chiaramente in errore, poiché aveva commesso un grosso sbaglio. L'altro residente presentò un reclamo ad Amma, sperando che avrebbe buttato fuori il colpevole. Amma prima consolò "il querelante" e poi chiamò "l'accusato". Il querelante era certo che stesse per cominciare un duro processo e un controinterrogatorio, ma con costernazione, vide che Amma iniziò, invece, a redarguire l'altro residente con molta dolcezza. Dopo questo inaspettato risultato, "il querelante" fece appello ad Amma dicendo: "Amma, non vedo giustizia in questo", ma Amma sorrise e rispose: "Non c'è giustizia nel tribunale del Maestro, ma soltanto misericordia e compassione, la giustizia verrà nel tribunale del tempo".

Forse pensiamo che vivere una vita ricca di tutte le qualità divine che vediamo in Amma, sia un obiettivo impossibile. Non c'è dubbio che nella vita di ciascuno di noi sorgeranno dei problemi, ma ciò non dovrà farci dimenticare il traguardo della vita. Amma è diventata quella che è non in assenza di problemi, ma nonostante i molti problemi.

Contrariamente a noi, Amma aveva tutta la libertà di scegliere le circostanze nelle quali nascere. Quando un devoto Le chiese: "Non sei triste al pensiero di tutte le tribolazioni che hai patito nella Tua vita?", Amma rispose: "No, perché sono io che ho scritto la commedia che sto recitando ora". Amma avrebbe potuto scegliere di non nascere, non aveva bisogno di attraversare tutte le difficoltà che ha affrontato.

Amma ha scelto per Se stessa una vita piena di avversità allo scopo di dimostrare che nonostante tutti i nostri problemi, possiamo comunque coltivare qualità divine e infine realizzare il nostro Vero Sé. Anche adesso, Amma non ha bisogno di dare il darshan giorno e notte, rispondere alle nostre domande e ai nostri dubbi, o cantare e meditare con noi. Ci sono abbastanza persone che sarebbero felici di mettere Amma in un hotel a cinque stelle per il resto della Sua vita, ma naturalmente Lei non ha mai pensato di farlo. Dovunque viaggi, a meno che non abbia un ashram in quella località, soggiorna in casa di devoti. Talvolta la casa è molto piccola e ci sono solo un paio di stanze a disposizione dell'intero gruppo di circa quindici persone, ma Amma rifiuta sempre la proposta degli ospiti di preparare una bella casa grande, o di riservare delle stanze in un buon hotel.

Durante il Suo annuale tour europeo, nella sosta tra i programmi del mattino e quelli della sera, Amma di solito rimane nell'edificio del programma, privandosi degli agi che Le offrirebbe la casa predisposta per Lei, dato che il trasferimento avanti e indietro può richiedere anche un'ora e piuttosto di passare il tempo viaggiando, Amma afferma che: "Posso usare quel tempo per dare il darshan a molte più persone".

Nel tour degli U.S.A. del 2002, mentre visitava lo stato dello Iowa per la prima volta, gli organizzatori avevano noleggiato un aereo privato per renderLe più facile il viaggio da Chicago, volendo fare il possibile per ridurre le Sue fatiche fisiche, specialmente dopo una lunga notte di darshan a Chicago. A prima vista sembrava una buona idea: uomini d'affari e celebrità viaggiano di continuo con jet privati, pur essendo meno occupati di Amma, e non passando 18 ore al giorno ad ascoltare i problemi di migliaia di persone come fa Lei.

Quando Amma seppe di questo progetto, chiese immediatamente che il volo fosse cancellato, affermando di aver visto la sofferenza di milioni di persone in giro per il mondo, molte delle quali senza cibo, casa, o medicine a causa della mancanza di denaro. Amma rifiutò di accettare l'aereo privato, indipendentemente da chi ne pagasse il costo, sapendo che il denaro poteva venire speso per aiutare chi soffre, piuttosto che per il Suo comfort personale. Anche ora, Amma indossa un semplice sari bianco, dorme sul pavimento e mangia solo una manciata di riso e verdure. Un mendicante può vivere con molto poco, ma ciò non è una vera rinuncia: è una costrizione dovuta alle circostanze. Amma potrebbe avere tutte le comodità del mondo, eppure prende molto poco dal mondo e dona così tanto in cambio.

Cerchiamo di seguire l'esempio di Amma meglio che possiamo. Invece di usare il nostro corpo come uno strumento per godere dei piaceri mondani, usiamolo per servire e aiutare disinteressatamente gli altri. Allora, la nostra vita diventerà una benedizione per il mondo e, alla fine, ci condurrà alla realizzazione del Sé.

Capitolo 9

La trasformazione finale

Il sole nascente, la luna piena, la brezza primaverile e il loto in fiore non hanno visto diminuire la loro bellezza e il loro splendore, nonostante l'impatto sulla natura dello sviluppo della tecnologia e dell'industria. Sebbene queste piccole meraviglie continuino a verificarsi in ogni aspetto del mondo intorno a noi, non siamo più capaci di gioirne come facevano le generazioni del passato, o come ci riusciva da bambini.

L'incidenza della depressione e di altri disordini mentali sta rapidamente salendo alle stelle. Un insegnante mi ha riferito che negli Stati Uniti, ogni mattina c'è una fila di bambini davanti all'ufficio del preside, ciascuno dei quali aspetta di ricevere il suo farmaco, prescritto per questo o quel disordine mentale.

Potremmo pensare che il mondo ha preso la direzione peggiore e che questa è la ragione per cui negli ultimi anni il nostro entusiasmo e la nostra energia si sono spenti, ma in realtà non è tanto il mondo ad essere cambiato, quanto i nostri punti di vista e i nostri valori. È necessaria una totale trasformazione della nostra visione della vita e dei suoi traguardi e, proprio per illustrare l'importanza di tale trasformazione individuale nel mondo attuale, vorrei condividere un rapporto che ho letto recentemente sul declino dei valori nella società. Un'indagine compiuta nel 1958 dai presidi delle scuole superiori degli Stati Uniti, rivelava che tra gli studenti i principali problemi erano:

1) Non fare i compiti a casa
2) Non rispettare la proprietà della scuola
3) Lasciare luci accese e porte e finestre aperte

4) Disturbare e correre per i corridoi

I risultati della stessa inchiesta, 30 anni dopo, sono stati scioccanti; nel 1988 i principali problemi degli studenti sono stati valutati nell'ordine seguente:

1) Aborti
2) AIDS
3) Stupri
4) Droghe
5) Omicidi, armi e coltelli nelle scuole e università
6) Gravidanze tra le adolescenti

Se la stessa indagine venisse svolta nel 2004, non oserei leggerne i risultati. Amma racconta la seguente storia.

Un giorno, un padre apprese che il figlio adolescente frequentava i locali notturni e lo consigliò di non andare in posti simili dicendo: "Frequentando i night-club, vedrai cose che non devi vedere".

A dispetto della raccomandazione del padre, il ragazzo si recò ancora in un night-club. Il giorno seguente, disse al padre: "Papà, ieri notte sono stato al night e ho visto qualcosa che non avrei dovuto vedere".

"Che cosa?", chiese il padre.

Il ragazzo rispose: "Ho visto te, seduto in prima fila!".

Amma afferma che i genitori sono i primi a dover coltivare buone qualità quali pazienza, gentilezza e autodisciplina perché, se essi non possiedono queste doti, i figli seguiranno le loro orme.

Sfortunatamente, la nostra mente non gravita in modo naturale intorno a buoni pensieri e buone qualità. Come disse Albert Einstein: "La scienza può denaturare il plutonio, ma non i demoni della mente umana". Rimuovere le negatività dalla mente è molto difficile: non si tratta di un processo automatico come la digestione del cibo, ma di un processo che dobbiamo iniziare coscientemente – la rimozione delle tendenze negative dalla mente non è un'impresa facile nemmeno per persone con un'elevata istruzione.

Possiamo chiederci perché sia così. Se gli altri fattori non cambiano, perché la mente tende ad andare verso il basso e non verso l'alto? È a causa delle nostre vasana ereditate dal passato. Quando da un'azione deriva un'esperienza piacevole, questo crea un'impressione nella nostra mente che la spingerà ad inseguire un'esperienza simile anche in futuro. Se ripetiamo un'azione numerose volte, si sviluppa una forte tendenza o un'abitudine che diventa molto difficile spezzare. Inoltre, nella vita attuale, stiamo creando nuove vasana in aggiunta a quelle ereditate dalle nascite precedenti.

Nel grande poema epico indiano *Mahabharata*, il fratello maggiore dei Kaurava, Duryodhana, dice: "So benissimo che cosa sia il dharma (rettitudine), ma quando agisco non sono capace di seguirlo. So molto bene che cosa sia l'adharma (ingiustizia), ma non sono capace di tenermene lontano". Duryodhana aveva la conoscenza del bene e del male, ma a causa della forza delle sue vasana, era incapace di usarla. Amma dice che un'altra ragione per cui la nostra mente non gravita intorno a pensieri divini è che, al momento del nostro concepimento, i nostri genitori non avevano pensieri divini ma soltanto pensieri sensuali e ciò indubbiamente ha influito a livello sottile sulla nostra mente.

In definitiva, non c'è utilità nel cercare di capire da dove vengano le vasana. Se passiamo il nostro prezioso tempo nel cercare di capirne le origini, assomigliamo all'uomo colpito da una freccia che anziché occuparsi del problema principale – rimuovere la freccia e medicare la ferita – è più interessato a scoprire chi l'ha lanciata, di quale tipo di legno sia fatta e da quale specie di uccello provenga la sua piuma. Allo stesso modo, possiamo anche non sapere come siamo finiti in un labirinto, ma basta che troviamo la via per uscirne.

Un modo per superare le nostre vasana è prendere rifugio in un Satguru come Amma. Molte persone attraversano una notevole trasformazione dopo averLa incontrata: alcolisti smettono di bere, fumatori accaniti smettono di fumare, persone crudeli diventano più gentili e molte altre cattive abitudini e ossessioni scompaiono.

Al termine dei miei studi volevo diventare un medico, ma finii come impiegato di banca: nonostante si trattasse di un buon lavoro, il mio desiderio per la professione medica era molto forte. Poiché non potevo diventare un medico, aspiravo a diventare un rappresentante di un'azienda farmaceutica. Ero ossessionato da questo cambiamento di carriera. Mio padre e gli amici mi consigliavano di non lasciare il redditizio lavoro in banca, avvertendomi che il lavoro di rappresentante non era altrettanto buono del mio in banca e dicendomi che i rappresentanti restano in costante attesa fuori dalle porte posteriori degli ambulatori medici e sono sempre agli ordini dei loro clienti. Eppure non fui capace di abbandonare il mio irragionevole desiderio finché non incontrai Amma. Dopo questo incontro, l'ossessione scomparve spontaneamente – trasformazioni simili sono comuni in presenza di un Mahatma.

Questa è la ragione per cui si dà una grande importanza all'incontro con un Mahatma. Proprio come una persona che cade in cattive compagnie assorbirà abitudini negative, l'associazione con un Mahatma avrà un effetto positivo sulla nostra vita e sul nostro carattere. Per dirla in un altro modo: se veniamo in contatto con una cattiva compagnia, diventiamo cattivi; se ci associamo ad una persona virtuosa, diventiamo virtuosi; e se stiamo con un Maestro spirituale, possiamo divenire persone spirituali. Più una persona è ricettiva, più grande sarà la trasformazione. Se vogliamo diventare più ricettivi, possiamo fare del nostro meglio ricordando costantemente il Guru – o almeno ricordandolo il più spesso possibile – e seguendo le Sue istruzioni con sincerità. Possiamo, inoltre, cercare di raggiungere la purezza di mente coltivando buoni pensieri, cercando di evitare quelli cattivi e sostituendo i pensieri negativi con quelli positivi.

Alcuni anni fa, si tenne un programma di Amma in un luogo in Germania che si trovava molto vicino ad un bar. Una sera, un ubriaco avanzò barcollando dal bar ed entrò nella sala dove Amma stava dando il darshan. Egli chiese ad una devota che cosa stesse succedendo e lei, gentilmente e con pazienza, gli spiegò che Amma era una santa indiana e gli chiese se voleva ricevere la Sua benedizione. Egli rispose che per lui andava bene tutto. Anche se era chiaramente molto ubriaco e vaneggiava incoerentemente, portammo l'uomo al darshan. Amma trascorse molto tempo con lui, dimostrandogli il Suo amore e affetto e manifestando preoccupazione per il suo stato di intossicazione e disordine. Non ci aspettavamo di vederlo nuovamente.

Tre mesi dopo, mentre eravamo tutti in India, egli apparve all'ashram di Amritapuri: assomigliava pochissimo all'uomo che era entrato barcollando nella sala del programma – aveva la testa rasata, portava abiti puliti e una *rudraksha mala* (rosario indiano fatto con i semi dell'albero di rudraksha) – ma lo riconobbi subito. Gli chiesi cosa gli fosse accaduto ed egli rispose che non sapeva spiegarsi che cosa Amma gli avesse fatto, ma che era stato completamente trasformato la notte in cui L'aveva incontrata. Sebbene i suoi genitori e gli amici gli avessero sempre detto di non bere tanto, non era mai stato capace di controllare quel vizio e mi confessò di essere stato perfino maltrattato e picchiato da altri in molte occasioni nel passato, quando era molto ubriaco. Ma quella notte con Amma, aveva ricevuto soltanto amore e gentilezza e in seguito aveva perso ogni interesse per il bere. Mi disse di voler restare all'ashram.

Perfino degli assassini sono diventati grandi saggi grazie alla loro associazione con un Maestro Realizzato. Molti di voi forse conoscono la storia del saggio Valmiki, che compose il *Ramayana*: prima di diventare un saggio, era solo un rapinatore e un assassino che viveva nella foresta. Dopo aver incontrato un gruppo di Mahatma, fu completamente trasformato. In una terra di saggi e santi istruiti, egli era un uomo della giungla, illetterato e incolto, eppure divenne l'autore del primo grande poema epico sanscrito (24.000 versi), che viene ancora letto e apprezzato dalle masse, perfino dopo migliaia di anni. Ecco a quale miracolo può portare un incontro con un Mahatma.

Un altro esempio simile è quello di Angulimala: aveva fatto voto di uccidere 1000 esseri umani e ne aveva già assassinati 999, quando vide il Buddha che camminava nella foresta e, progettando di farne la millesima vittima, cominciò a seguire il monaco. Sebbene il Buddha avanzasse con passo rilassato, Angulimala scoprì che non riusciva a raggiungerlo e, alla fine, esausto gridò: "Ehi, monaco, fermati!".

Il Buddha rispose semplicemente: "Io sono fermo. Sei tu che non lo sei".

Confuso, Angulimala, chiese al Buddha che cosa intendesse e il Buddha spiegò: "Dico che mi sono fermato perché ho smesso di uccidere tutte le creature, ho smesso di maltrattare tutti gli esseri viventi e, con la riflessione, mi sono stabilito nell'amore universale, nella pazienza e nella conoscenza. Tu, invece, non hai smesso di uccidere o maltrattare gli altri, e non sei stabilito nell'amore universale e nella pazienza, perciò sei tu quello che non si è fermato". Trasformato da queste parole, Angulimala gettò via le armi, seguì il Buddha e divenne suo discepolo e, compiendo azioni buone e una sincera pratica spirituale, fu perfino in grado di realizzare Dio. Su di lui, più tardi, il Buddha disse: "Colui le cui azioni malvagie vengono sostituite da azioni buone, illumina questo mondo come la luna non più coperta da una nuvola".

Ricordo un esempio simile nella vita di Amma. Quando Amma era appena ventenne, in un villaggio vicino c'era un gruppo di persone che non apprezzava la Sua crescente influenza. Esse corruppero con alcool e denaro un malvivente locale, un tale che entrava e usciva continuamente di galera, per indurlo ad aggredire Amma. Il malvivente arrivò a casa di Amma dopo la mezzanotte. A quell'epoca, sia la madre sia il padre erano soliti sorvegliarLa nel cuore della notte, mentre era immersa in meditazione nel boschetto di alberi di cocco, di fronte al tempio. In quella notte particolare, Amma rimase seduta così a lungo che, alla fine, Suo padre, vinto dalla stanchezza, andò a dormire. Il malvivente arrivò mentre Amma stava meditando sola, eccetto per due cani che erano stesi là vicino. Quando egli si avvicinò ad Amma, uno dei cani balzò su e affondò i denti nella sua mano. Sentendo l'abbaiare dei cani e le urla strazianti dell'uomo, Amma aprì gli occhi e lo vide mentre agitava la mano insanguinata.

Sebbene Amma avesse chiaramente capito il movente del malfattore, Si avvicinò a lui, gli disse di non preoccuparsi e gli pulì e fasciò la ferita e chiese poi ai vicini, che si erano radunati in seguito alla confusione, di riportarlo a casa senza fargli alcun male.

Dopo questo incidente, l'uomo, che aveva avuto l'intenzione di aggredire Amma, fu completamente trasformato e cominciò perfino a traghettare gratuitamente al di là del fiume i devoti di Amma.

Il solo trovarci in presenza di un essere divino crea un cambiamento in noi. Con il Suo amore e la Sua compassione, Amma sta già realmente determinando questa positiva trasformazione in milioni di Suoi devoti. Molti di loro hanno compiuto cattive azioni nel passato, ma, esposti all'influenza della divinità di Amma, hanno mutato i loro modi diventando persone virtuose.

In questo modo, Amma non sta soltanto aiutando milioni di individui, sta anche ripristinando la perduta armonia nella famiglia e nella società. Se noi cambiamo, anche le persone intorno a noi, in seguito, lentamente cambieranno e altri a loro legati cominceranno a cambiare a loro volta. Come afferma Amma, non siamo isole isolate, ma anelli di una stessa catena. Che lo comprendiamo o no, ogni azione che compiamo influenza gli altri e, poiché la società è costituita da individui, quando un individuo cambia in meglio, la società nel suo insieme diventerà più armoniosa e piena di pace.

Capitolo 10

Il desiderio che elimina il desiderio

Tutti noi abbiamo molti desideri la cui realizzazione ci rende assai felici, ma molti di essi, sfortunatamente, possono portare ad ancora più desideri. Non c'è nulla di male nel cercare di soddisfare i nostri desideri, purché ricordiamo che il desiderare qualcosa non significa che questa sia anche buona per noi.

Ricordo una storia su un devoto di Amma che illustra questo punto: c'era un giovane che si era laureato con ottimi voti e il suo sogno era di diventare brahmachari e di vivere all'ashram con Amma, ma la sua famiglia era molto povera e perciò lui desiderava aiutare prima i suoi genitori e successivamente unirsi all'ashram. Ogniqualvolta veniva da Amma, pregava di trovare presto un buon lavoro per aiutare i propri genitori, prima di stabilirsi all'ashram.

Poco tempo dopo, gli fu offerto un lavoro in Medio Oriente: si trattava di un buon lavoro e ben retribuito. Il solo problema stava nel fatto che avrebbe dovuto firmare un contratto vincolante che lo obbligava a lavorare per la compagnia per almeno cinque anni, o a restituire tutto il denaro ricevuto come stipendio nel caso avesse rotto il contratto prima del tempo pattuito. Queste erano le condizioni offerte.

Egli venne all'ashram per raccontare ad Amma dell'offerta di lavoro. Disse: "Mi offrono uno stipendio molto buono; devo accettare questo lavoro".

Amma rispose: "Perché non aspetti ancora un po' di tempo? Avrai un'altra offerta di lavoro con condizioni migliori", ma egli non diede ascolto al consiglio di Amma, pur così diretto, perché era certo che non avrebbe trovato un altro lavoro che gli consentisse di provvedere altrettanto bene alla sua famiglia.

Dunque egli accettò, lavorò per circa due anni e con il denaro che inviava a casa, i genitori furono in grado di estinguere tutti i debiti. Nel frattempo, la loro devozione verso Amma divenne così forte che, dopo aver ripagato i debiti, vendettero la loro casa e si trasferirono all'ashram. Quando il figlio ricevette la notizia, ci rimase molto male, perché aveva accettato questo lavoro e il contratto quinquennale soltanto per il bene dei suoi genitori e ancora oggi non può trasferirsi l'ashram, perché non ha ancora terminato il contratto.

Se avesse dato ascolto ad Amma, avrebbe senz'altro trovato un lavoro differente e, dopo un breve periodo, avrebbe potuto probabilmente stare all'ashram come brahmachari. Vediamo dunque che talvolta i desideri possono portarci dei problemi, anche se sembrano buoni desideri.

Ecco perché si dice: "Quando vai da un Mahatma, non chiedere nulla, esponigli soltanto i tuoi problemi e lui ti darà ciò che è meglio per te, perché qualunque cosa faccia o ti chieda di fare, sarà senza dubbio per la tua crescita spirituale".

Ricordo una storia che illustra come proprio ciò che sembra essere una brutta situazione possa essere un bene per noi, e come invece una situazione apparentemente favorevole ci possa portare sofferenza. Una volta, un uomo d'affari di Bombay venne al darshan di Amma, si lamentò con lei del cattivo andamento dei suoi affari e Le chiese di fare un sankalpa per farli rifiorire. Amma disse al brahmachari che fungeva da traduttore: "Ciò che sta accadendo ora è per il suo bene".

Sentendo la risposta di Amma, l'uomo d'affari si disperò e cominciò ad implorarLa: "No, Amma! Non dire così, aiutami per favore, potrò essere felice e avere successo solo se i miei affari si riprenderanno".

Amma cominciò a ridere, con grande sorpresa del brahmachari che non riusciva a capire perché Amma non mostrasse compassione per quest'uomo, come faceva di solito verso coloro che erano angosciati. Fu soltanto molto tempo dopo che il motivo della Sua risata divenne chiaro.

Molti mesi dopo, lo stesso uomo tornò all'ashram. Durante il darshan di Amma cominciò a singhiozzare rumorosamente spiegandoLe che, dopo il ritorno a Bombay, i suoi affari avevano ripreso a rifiorire, ma in quello stesso periodo suo fratello minore si era unito alla malavita di Bombay e aveva cominciato a chiedergli grosse somme di denaro. All'inizio, l'uomo d'affari aveva ceduto alle richieste del fratello, ma quando le somme richieste erano aumentate, si era rifiutato di pagare ancora. Le relazioni tra i fratelli erano diventate tese e il più giovane se ne era andato di casa.

Poi, di nascosto dall'uomo d'affari, il fratello minore aveva cominciato a minacciarne la moglie che, temendo ripercussioni, non ne aveva fatto parola con nessuno; la tensione, però, era diventata troppa per lei che era caduta in depressione.

L'euforia che l'uomo provava per il successo dei suoi affari era soffocata dalla situazione domestica e la felicità, che pensava avrebbe potuto godere grazie alla maggiore prosperità economica, ora gli sfuggiva. Ritornò da Amma in preda alla disperazione.

Durante il darshan supplicò: "Amma! Per favore porta via tutta la mia ricchezza! Non ho paura di diventare povero, ma dammi la pace mentale: non dormo da una settimana. Per favore, Amma, salva mio fratello e guarisci mia moglie!". Amma fu molto compassionevole con lui, lo tenne tra le braccia e lo accarezzò amorevolmente.

Alcuni mesi dopo, egli scrisse una lettera ad Amritapuri nella quale ringraziava Amma per aver riportato la pace e l'armonia nella sua vita personale e familiare. Suo fratello e sua moglie divennero anch'essi devoti di Amma.

Nel caso di quest'uomo, egli pensava che le difficoltà nei suoi affari fossero una maledizione, ma in seguito comprese che la pace mentale era più importante del denaro. Se avesse dato retta al primo consiglio di Amma, avrebbe potuto evitare molta inutile sofferenza.

Può essere difficile meditare se abbiamo molti desideri e aspettative: non riusciremo a stare seduti tranquillamente a causa dei molti pensieri che ci disturbano. Amma afferma: "Se stiamo seguendo delle pratiche spirituali, ma desideriamo ancora molte cose, una parte dell'energia spirituale che ci deriva dalle pratiche si dirigerà verso la realizzazione di questi desideri e, indulgendo in questi desideri, perderemo energia e la crescita spirituale sarà lenta".

Amma sottolinea che stiamo sprecando tutta l'energia spirituale che acquisiamo, proprio come una persona che lavora duramente tutto il giorno, ma che spende tutto il denaro guadagnato in noccioline, anziché in qualcosa di utile.

Ora potreste chiedermi: "Swamiji, lei sta affermando che non dovremmo avere desideri. E il desiderio di stare con Amma? E il desiderio di raggiungere la realizzazione del Sé?".

Questi desideri sono le sole eccezioni perché sono d'aiuto nella crescita spirituale. Il desiderio di ottenere la liberazione o la realizzazione di Dio ci porterà ad uno stato che è al di là dei desideri e nel quale ci sentiremo appagati e completi. Il desiderio di stare con Amma non è come quello di comprare una grande casa o un'auto costosa o di diventare famosi. Quando possederemo la casa che vogliamo finiremo per volerne una ancora più grande, o una seconda casa, perché tutti i desideri terreni portano ad ulteriori desideri, mentre il desiderio di stare con Amma, o il desiderio della liberazione, ci aiuta a superare gli altri desideri. Amma dice che il nostro attaccamento a Lei ci aiuta a staccarci da molte altre cose e ciò ci ispira a crescere spiritualmente.

Amma fa un esempio. Supponiamo di calpestare una spina e che questa s'infili profondamente nel piede: se vogliamo estrarla abbiamo bisogno di un oggetto affilato – fosse anche un'altra spina. Proprio come usiamo una spina per rimuoverne un'altra, il desiderio per Dio o per il Guru eliminerà tutti gli altri desideri.

Le persone possono essere classificate in tre tipi in base al modo in cui soddisfano un loro desiderio. Il primo tipo è detto *bhogi*, o persona mondana, colui che elimina i suoi desideri soddisfacendoli. Supponiamo che abbia il desiderio di andare a vedere un film: andrà semplicemente al cinema ed esaudirà il suo desiderio in modo che esso venga eliminato. Il giorno seguente quella stessa persona avrà il desiderio di mangiare una pizza e si recherà nella pizzeria più vicina. Sebbene sia comune, questo metodo di eliminazione dei desideri è molto pericoloso – è come aggiungere combustibile al fuoco, perché è impossibile esaurire i nostri desideri realizzandoli.

Il secondo tipo è detto *tyagi*, o rinunciante. Prima di provare a soddisfare un particolare desiderio, il rinunciante si chiederà: "Soddisfare questo desiderio mi farà crescere spiritualmente?". Se la risposta è no – realizzare il desiderio significa solo aumentare le proprie *vasana* – questa persona rinuncerà al desiderio.

Il terzo tipo è lo *Jnani,* o Mahatma, chi ha già trasceso i propri desideri, realizzando il Sé. I Mahatma continuano a mangiare e bere, ma questo non può essere chiamato desiderio, poiché il solo scopo è di mantenere il corpo. In modo simile parleranno la lingua del paese in cui sono nati e cresciuti e mangeranno o berranno in accordo alla cultura nella quale sono stati allevati.

C'è un bell'esempio di ciò nella vita di Sri Ramakrishna Paramahamsa. Occasionalmente, egli faceva richiesta di qualche tipo di dolce che gli veniva portato subito. Alcuni si chiedevano: "È una persona che ha realizzato Dio e ha ancora il desiderio di mangiare dei dolci? Che cosa significa?". Sri Ramakrishna spiegò ai suoi devoti che gli era difficile mantenere la mente al livello del mondo perché era naturalmente attirata verso lo stato di *samadhi*[6] e che ogni volta che pensava a cose ordinarie, come a mangiare dei dolci o ad andare in un determinato posto, la sua mente doveva per forza ritornare. "Prima che la mia mente si elevi in samadhi, esprimo un piccolo desiderio come il mangiare un dolce o altro, o penso a qualcos'altro da fare, e allora essa torna per farlo". Anime realizzate esprimono simili sankalpa in modo che la mente debba tornare al livello del mondo; proprio come il suono della sveglia ci desta, questi piccoli desideri o intenzioni sono come un allarme che ricorda alle anime realizzate di ritornare al nostro livello.

Amma dice che se lascia andare la Sua mente quando canta i bhajan, Le risulta molto difficile ritornare dallo stato di samadhi. Poiché attualmente vi sono sempre molte persone ad ascoltarla, prima di cantare un bhajan, Amma esprime il sankalpa di eseguire l'intero canto: per portare a termine questa decisione, la Sua mente dovrà tornare per cantare ogni riga della canzone.

Nei primi tempi, quando Amma cantava un bhajan, scivolava spesso in samadhi prima di averlo terminato e i brahmachari che L'accompagnavano dovevano continuare a cantare gli stessi versi

---

[6] Samadhi si riferisce ad un profondo stato di assorbimento, una completa identificazione con l'oggetto della meditazione. Con gli occhi aperti o chiusi, un Mahatma è sempre stabilito nella Coscienza Suprema. Molti Mahatma scelgono di rimanere ritirati nel Sé tutto il tempo, non trovando ragioni per interagire col mondo, mentre un Satguru, anche se sperimenta comunque quella beatitudine, sceglie di scendere al livello della gente comune per aiutarla a crescere spiritualmente.

a lungo, aspettando che Amma uscisse dal samadhi per dire loro quale fosse la canzone seguente.

Ricordo una volta che stavamo ripetendo il *Lalita Sahasranama* archana (i Mille Nomi della Madre Divina) nel vecchio tempio, insieme ad Amma. Dopo aver ripetuto alcuni mantra, Amma Si perse nell'estasi divina, ora ridendo, ora piangendo, ora rimanendo seduta immobile come una statua. Quando uscì da quello stato estatico, ci chiese di riprendere a salmodiare da dove avevamo interrotto, ma dopo pochi mantra Si perse di nuovo. Di solito ci vuole circa un'ora per completare l'archana, ma in quella occasione ce ne vollero cinque.

Amma ha provato molte volte a recitare da sola i 1000 Nomi della Devi, ma non è mai riuscita a completare l'archana, poiché Si perde sempre in samadhi. Naturalmente Amma non ha bisogno di recitare l'archana, giacché è tutt'uno con la Madre Divina; Lei esegue pratiche spirituali soltanto per dare l'esempio agli altri.

Nei primi tempi, Amma non viaggiava molto, né dava programmi di darshan fuori dell'ashram così spesso e non aveva ancora istituito alcun ente o progetto caritatevole, perciò era libera di passare diverse ore immersa in samadhi dopo che aveva finito di dare il darshan ai devoti che venivano all'ashram ogni giorno e dopo aver dato istruzioni ai brahmachari. Ora, invece, ha pochissimo tempo per Se stessa perché ha tanto da fare e molte attività da guidare: migliaia di persone vengono ogni giorno per il Suo darshan e la Sua vasta rete di istituzioni educative e umanitarie si sta espandendo sempre di più. Amma dice che la compassione è la naturale espressione dell'amore ed è proprio grazie alla Sua stripante compassione per noi che dedica ogni momento della Sua vita a consigliare, consolare e servire i Suoi figli senza mai perdere la Sua pace interiore.

Dunque notiamo che i Maestri Realizzati sembrano avere alcuni semplici desideri, ma in verità non è così. Se hanno qualche desiderio è soltanto per mantenere la loro mente su questo piano, con lo scopo di elevare l'umanità.

Osservando le azioni altruistiche dei Maestri Realizzati, siamo ispirati a seguire il loro esempio e ciò ci aiuterà a trascendere i nostri desideri egoistici. I brahmachari di Amma ne sono un buon esempio; avevamo tutti molti desideri quando giungemmo da Amma. Io arrivai da Amma per avere un trasferimento in una banca più vicina alla mia città, un altro brahmachari venne da Amma per chiedere la Sua benedizione al fine di ottenere buoni voti negli esami.

Quando Swami Purnamritananda (allora Br. Srikumar) ottenne la laurea in ingegneria, suo padre gli trovò un lavoro al Raman Research Institute di Bangalore. Egli passava già la maggior parte del tempo all'ashram e dato che i suoi genitori e la maggior parte dei parenti erano diventati devoti di Amma, lui non si aspettava certo che suo padre gli chiedesse di trovarsi un lavoro. Nonostante amassero molto Amma, i suoi genitori erano però spaventati all'idea di perdere il loro figlio per una vita di rinuncia, perché nutrivano per lui ancora dei sogni di successo mondano. Così suo padre prese accordi per questo lavoro a Bangalore.

Andarsene dall'ashram era l'ultima cosa che Swami Purnamritananda voleva fare, ma Amma lo spinse ad accettare il lavoro, almeno per alcuni giorni. Amma e molti devoti lo accompagnarono alla stazione per un saluto pieno di lacrime. Singhiozzando e col cuore spezzato per l'improvvisa separazione, Swami Purnamritananda guardava dal finestrino Amma e i devoti che svanivano in lontananza, man mano che il treno si allontanava velocemente. A quel tempo egli non poteva sopportare di stare lontano da Amma neppure per un momento e il pensiero di essere mandato via per un periodo indeterminato era troppo per lui.

Egli giacque steso nella cuccetta più in alto senza mangiare né bere, quando, verso l'alba, scivolò nel sonno; ma, poco dopo, si svegliò con la sensazione di una mano che gli accarezzava la fronte. Quando aprì gli occhi non poté credere a ciò che stava vedendo: Amma era seduta accanto a lui sulla cuccetta. Non stava sognando, era completamente cosciente e cercò di alzarsi, ma non poteva muovere il corpo né proferire parola. Anche Amma era silenziosa e i Suoi occhi brillavano. Alcuni minuti passarono in un darshan silenzioso, poi, all'improvviso, Amma scomparve. Egli chiuse gli occhi e cominciò a meditare.

Trascorse il resto del viaggio perduto in un amorevole ricordo di Amma e, quando il treno arrivò al capolinea di Bangalore, bisognò addirittura scuoterlo per farlo uscire dalla sua meditazione.

Un impiegato della compagnia lo stava aspettando alla stazione e non capiva il malumore di Swami Purnamritananda: "Non è felice di avere questo lavoro? Un lavoro al Raman Research Institute è il sogno di molti giovani", spiegò, ma Swami Purnamritananda rimase silenzioso.

Dopo un po' capì che il suo comportamento non era appropriato e gli disse che sentiva nostalgia di casa. L'uomo fu molto affettuoso e pieno di premure: con amore materno, preparò del cibo e, sedutogli accanto, si assicurò che lo mangiasse, mentre egli sentiva chiaramente la presenza di Amma che fluiva attraverso il collega.

Il giorno successivo Swami Purnamritananda iniziò il suo lavoro all'istituto: era proprio il tipo di lavoro che aveva sempre sognato da studente, ma ora provava solo indifferenza per la posizione che gli era stata concessa grazie ai suoi studi. Lo scienziato che gli era superiore prese subito ad apprezzarlo e coprirlo di lodi, ma Swami Purnamritananda era irremovibile e trascorreva le sue giornate da solo, in silenzio e con un atteggiamento riservato.

In molte occasioni, Amma gli fece sentire chiaramente la Sua presenza attraverso certi segni: la sensazione di fiori che piovevano sul suo corpo mentre dormiva, il tintinnio delle Sue cavigliere, l'aria che si riempiva della dolce fragranza che L'accompagna sempre e la Sua voce che gli risuonava nelle orecchie. Amma, in seguito, gli disse che tutti questi segni servivano per aiutarlo a comprendere che Amma non è confinata nei limiti del Suo corpo fisico e che è sempre con lui.

Le settimane si trascinavano con una lentezza agonizzante e sebbene ricevesse da Amma molte consolanti lettere, poteva appena leggerne le parole. Molte volte pensò di ritornare all'ashram, ma ogni volta Amma gli appariva in sogno dicendogli di restare e, per non disubbidirLe, decideva di non partire.

Un giorno, confessò il suo problema al membro della compagnia che gli aveva dimostrato tanta attenzione ed empatia. Quella notte, il delegato portò Swami Purnamritananda in un luogo solitario, una zona molto bella con ripide colline e dirupi, con la speranza che egli trovasse un po' di pace mentale. Salirono lentamente sulla cima di una grande roccia e si sedettero, parlando di Amma; nel frattempo si era fatta mezzanotte. Il compagno si stese per dormire, Swami Purnamritananda chiuse gli occhi e rimase seduto. Uno strano pensiero gli passò per la mente: "La causa della mia separazione da Amma è questo corpo, perciò lo distruggerò". Si alzò, e, dopo essersi accertato che il collega stesse ancora dormendo, si diresse lentamente verso l'orlo del dirupo, guardando il precipizio sotto di lui. Chiuse gli occhi e pregò per alcuni secondi, rafforzando la sua decisione, poi, con le ginocchia piegate, si preparò a fare il salto verso la morte. Ma proprio mentre stava per lanciarsi, si sentì tirare improvvisamente, e cadde all'indietro. Allora si guardò intorno per vedere chi gli avesse impedito di saltare verso la morte, ma il collega stava ancora dormendo pacificamente e non si vedeva nessun altro nei paraggi. Capì che era stata Amma a trattenerlo.

Sedette e meditò su Amma, e la Sua voce risuonò in lui: "Figlio, il suicidio è per i vigliacchi, questo corpo è prezioso, è lo strumento che ci serve per conoscere l'Atman. Molti troveranno la pace grazie ad esso, non distruggerlo. Ucciderti è il più grande torto che puoi farMi, supera le avversità, sii coraggioso, Io sono con te". Alla fine, Amma diede a Swami Purnamritananda il permesso di ritornare all'ashram.

Prima di incontrare Amma, egli aveva aspirato a diventare ingegnere di un'importante compagnia ma dopo averLa conosciuta, neppure il lavoro dei suoi sogni lo poteva più soddisfare, perché il suo solo desiderio era di stare con Lei: questo desiderio aveva eliminato tutti gli altri e gli prometteva di condurlo verso lo stato al di là di tutti i desideri.

La compagnia di un Satguru è il mezzo migliore per ridurre o superare i nostri desideri, anche se hanno radici profonde; talvolta la sola vista di un Mahatma è sufficiente per aiutarci a vincere perfino i desideri più forti.

Ci si potrebbe chiedere: "Sono arrivato ad un punto in cui non ho altri desideri, sono soddisfatto e appagato della mia vita e, non avendo desideri o aspettative, perché dovrei ancora agire? Perché non posso starmene seduto tranquillamente?".

Questa attitudine è solo pigrizia. Possiamo anche non avere forti desideri o ambizioni, ma accumulate in noi ci sono ancora delle vasana negative, e se non lavoriamo per liberarcene, potranno affacciarsi in ogni momento e creare dei problemi. Infatti, le tendenze negative che non vengono a galla possono spingerci a compiere azioni sbagliate. Questa è la ragione per cui Amma ci chiede di svolgere qualche lavoro altruistico e delle pratiche spirituali. Il servizio disinteressato, il servizio al Guru e l'obbedienza alle Sue istruzioni, nelle nostre pratiche spirituali e nella vita quotidiana, ci aiuteranno a rimuovere le tendenze negative accumulate.

Per quanto riguarda un ricercatore spirituale, è importante superare le vasana negative, perché queste impediscono la realizzazione di Dio. Se abbiamo tendenze negative, non potremo meditare adeguatamente, non riusciremo a svolgere le nostre pratiche spirituali e non saremo in grado di percepire la presenza di Dio.

Qual è la causa di queste negatività? È l'ignoranza – l'ignoranza della nostra vera natura: invece di identificarci con l'Atman o Sé Universale, pensiamo di essere il corpo, la mente e l'intelletto, e cerchiamo di soddisfare i loro desideri con mezzi onesti o illeciti. Come abbiamo detto prima, se compiamo più volte una stessa azione, in noi si creerà una vasana. Dunque la causa di tutte le nostre negatività è l'ignoranza della nostra vera natura.

Naturalmente, le vasana non sono sempre negative; infatti, svolgendo il servizio disinteressato, le pratiche spirituali e servendo il Guru, creeremo delle tendenze positive che lentamente purificheranno la nostra mente e ci renderanno degni di ricevere la Grazia di Dio.

Amma afferma spesso che qualunque cosa facciamo ripetutamente diventa un'abitudine, che a lungo andare le abitudini formeranno il nostro carattere e che un buon carattere è la qualità fondamentale che si deve avere per progredire spiritualmente. Talvolta vediamo che un'improvvisa trasformazione causata dall'incontro con Amma non dura e l'individuo scivola nuovamente nei suoi vecchi comportamenti. Ciò è dovuto al fatto che la persona non ha preso l'iniziativa di assorbire gli insegnamenti di Amma e di metterli in pratica nella sua vita. I Mahatma possono trasformare completamente la nostra vita, ma che questa trasformazione sia duratura o meno dipende interamente da come rispondiamo al loro amore e compassione. Finché non saremo pronti a fare alcuni passi con la mano nella Sua mano, il Maestro non ci potrà condurre alla meta finale.

Capitolo 11

Il potere delle abitudini

Amma dice che per un ricercatore spirituale è molto importante coltivare abitudini positive perché le tendenze negative come l'impazienza, la gelosia e il criticare gli altri ci impediscono di raggiungere la pace mentale. Attraverso il Suo stesso esempio, Amma ci ispira a coltivare buone abitudini. Infatti, con la pazienza, l'accettazione e l'amore di una madre per i suoi figli, ci aiuta a superare le nostre cattive abitudini e ciò ci rende liberi di godere la vita e di eseguire le pratiche spirituali con dedizione e concentrazione.

Amma narra la seguente storia. Una volta, una donna andò al darshan di Amma. Dopo averla abbracciata, Amma le chiese di sedere vicino a Lei per un certo tempo, cosa che rese molto felice la devota, che non aveva mai avuto l'opportunità di stare vicino ad Amma così a lungo. Ella passò il resto della giornata raccontando a tutti della sua buona fortuna e dei momenti beati passati accanto ad Amma. Il giorno dopo, la devota ritornò al darshan e Amma le chiese nuovamente di sedere al Suo fianco. Stavolta, la devota era doppiamente felice e sopraffatta da lacrime di gratitudine e di gioia.

Ma dopo un po', questa devota vide arrivare al darshan un'altra donna, che non le piaceva perché ne era gelosa. Amma chiese anche alla seconda donna di sedere vicino a Lei. La prima devota rimase turbata dal fatto che Amma avesse invitato questa persona a sederLe accanto e sentì crescere la gelosia verso di lei, arrabbiandosi perfino con Amma. La prima devota era seduta nello stesso posto del giorno precedente, ma la beatitudine che aveva sperimentato allora si era trasformata in un'esperienza traumatica.

Questa devota aveva fatto ore di straordinari al lavoro per un anno intero, al fine di risparmiare denaro sufficiente che le avrebbe consentito di vedere Amma e passare alcuni gioiosi momenti in Sua compagnia, e fu solo dopo un lungo e arduo viaggio che L'aveva raggiunta. Fu ampiamente ricompensata con la fortuna di sedere vicino ad Amma (cosa che è spesso difficile a causa della gran folla che La circonda), ma quando finalmente ottenne la sua lungamente agognata opportunità, non riuscì a godere la profonda pace e la gioia tanto attese, si innervosì talmente da abbandonare il preziosissimo posto accanto ad Amma senza che glielo chiedessero, e questo soltanto a causa della sua tendenza alla gelosia.

Proprio come ora troviamo difficile praticare buone abitudini, troveremo altrettanto duro ritornare ai nostri vecchi modi di vivere, dopo che avremo coltivato valori e consuetudini positive. Parecchi anni fa, un devoto di Amma aveva diretto un film in malayalam e ne diede una copia ad Amma prima che fosse proiettato nei cinema, chiedendoLe di guardarlo. Non si trattava di un film particolarmente spirituale, ma presentava dei valori morali molto positivi. Per rendere felice questo Suo devoto, Amma chiamò tutti i brahmachari e disse: "Guardiamoci questo film".

Pieno di orgoglio per aver perso ogni interesse nei film, dissi agli altri brahmachari: "Non voglio vedere il film, ma voi andate pure a vederlo." Amma non insistette che io partecipassi, ma quando il film fu finito, mi chiamò e mi rimproverò: "Pensi di essere un grande asceta? Visto che non hai fatto quello che ti avevo chiesto di fare, io guarderò dieci film con tutti i brahmachari, ma senza di te!". A quelle parole compresi il mio errore: che mi piacesse o no guardare i film, avrei dovuto obbedire alle istruzioni del mio Guru.

Amma guardò molti film spirituali con gli altri residenti dell'ashram, ma seguendo le Sue istruzioni, io restai in disparte. Tuttavia, come al solito, la punizione di Amma fu temperata dalla dolcezza e così un giorno mi chiamò nella Sua stanza per guardare insieme un film spirituale.

Trascorrendo del tempo alla presenza di Amma e facendo del nostro meglio per seguire i Suoi insegnamenti e il Suo esempio, saremo in grado di coltivare buone abitudini che troveremo difficile cambiare, proprio come era accaduto con le nostre cattive tendenze precedenti. Una volta che avremo posto la prima pietra dell'edificio delle buone abitudini, sarà difficile tornare alle vecchie. Dunque possiamo utilizzare il potere delle abitudini per avanzare sul sentiero spirituale.

Capitolo 12

Attitudine e azione

D obbiamo prestare attenzione non soltanto alle azioni che compiamo, ma anche all'attitudine con cui le portiamo a termine, perché anche atti di adorazione compiuti senza la giusta attitudine possono trascinarci più profondamente in una schiavitù.

Nel grande poema epico *Mahabharata* si parla dei cinque fratelli, i Pandava, che governavano il paese molto rettamente. Un giorno, Bhima, uno dei fratelli Pandava, stava controllando la distribuzione del cibo ai poveri. Quel giorno, Bhima aveva invitato a partecipare anche molti *rishi* (saggi) che vivevano nella zona. Bhima chiese ai rishi di sovrintendere alla cerimonia del cibo prima di mangiare. Anche il Signore Krishna era presente e accanto a Lui sedevano tutti i rishi, quando Bhima arrivò e li invitò ad avvicinarsi per prendere il cibo. I rishi esitarono ad andare a causa della presenza del Signore Krishna, ma Egli disse: "Andate, vi raggiungerò anch'io".

Quando arrivarono nella sala da pranzo, Bhima cominciò a servire le vivande e tutti iniziarono a mangiare. Quel giorno era stata cucinata una grande quantità di cibo, ma era chiaro che ne sarebbe avanzato molto, perché il numero delle persone presenti era molto inferiore del previsto.

Bhima continuò a servire i rishi, anche dopo che, finita la loro porzione, essi dissero: "No, no. Non vogliamo tutto questo cibo". Bhima non li ascoltò e quando rifiutarono altre vivande, cominciò ad arrabbiarsi ed animarsi, arrivando perfino a minacciarli.

"Che cosa dobbiamo fare con il cibo in eccesso? Prendetene ancora un po'", insistette Bhima, "altrimenti mancherete di
rispetto al re".

Il Signore Krishna, che aveva osservato il comportamento di
Bhima, lo chiamò vicino a Sé e Bhima Gli si accostò rispettosa-
mente. Krishna gli disse che nella vicina foresta viveva un grande
saggio. "L'ho incontrato proprio prima di venire qua", gli disse.
"Desidera darti delle istruzioni e perciò devi andare da lui".

Bhima ubbidiva sempre a Krishna, perché sapeva che era
veramente Dio, e così si inoltrò nella foresta come gli aveva chiesto. Poteva vedere il rishi perfino da lontano: brillanti raggi dorati
irradiavano dal suo corpo. Bhima, molto sorpreso, si chiese: "Chi
è costui? Forse un altro dio?" e, affascinato, andò verso il saggio
dorato. Avvicinandosi, cominciò a percepire una puzza terribile
che sembrava insopportabile, tuttavia non indietreggiò perché
voleva porgere i suoi rispetti al saggio. Purtroppo, quando gli fu
accanto, comprese che quel fetore disgustoso emanava proprio
dal suo corpo. Alla fine il tanfo divenne veramente troppo da
sopportare e Bhima si voltò e tornò al suo palazzo dove si diresse
subito dal Signore Krishna per chiedergli gentilmente perché lo
avesse mandato dal saggio puzzolente.

Krishna spiegò: "La puzza dell'ego è perfino peggiore dell'or-
ribile odore di carne putrefatta".

Bhima chiese spiegazioni a Krishna.

Il Signore chiarì: "Nella sua nascita precedente, egli fu un
grande re che aiutò molto i suoi sudditi, nutrendo i poveri,
prendendosi cura degli orfani, rispettando e riverendo i saggi e i
santi. Ma pretendeva sempre che quello che dava fosse accettato
e usava perfino la forza con coloro che rifiutavano. Eseguì azioni
veramente buone, ma in modo egoistico ed arrogante. Rinacque
come rishi grazie ai meriti delle buone azioni compiute, ma dovette
scontare le conseguenze della sua arroganza proprio sotto forma

di quel terribile odore. Anche tu, se forzi le persone ad accettare la tua carità quando non la vogliono, dovrai pagarne l'effetto".

Possiamo vedere, dunque, che l'attitudine è molto importante. Il compiere buone azioni con un'errata disposizione può non solo privarci del risultato desiderato, ma anche addirittura danneggiarci.

C'è un'altra storia nei *Purana* che dimostra come le buone azioni possano portare cattivi risultati, se non abbiamo la giusta attitudine. Daksha compì un grande *yagna* (sacrificio). Egli era un *prajapati* (progenitore) del genere umano, vale a dire che doveva prendersi cura della razza umana in quell'era. Daksha invitò tutti gli dèi allo yagna, eccetto Shiva. Infatti, non amava il Signore Shiva a causa del suo aspetto: i capelli arruffati, il corpo cosparso di cenere, i serpenti intorno al collo, la cintola coperta solo da un pezzo di pelle di animale e una ciotola da mendicante in mano. Daksha pensava che Shiva assomigliasse più ad un monaco errante che a un dio. Il fatto poi che sua figlia Sati amasse Shiva e lo avesse perfino sposato, glielo rendeva ancora più sgradevole. Per aggiungere legna al fuoco, era successo che durante una recente assemblea di *deva* (esseri celesti) e saggi, per mostrare rispetto a Daksha, tutti, eccetto Shiva, si erano alzati nel momento del suo ingresso. Shiva non si era affatto mosso dal suo posto a sedere, anche se, come genero, avrebbe dovuto portargli rispetto. Per ripicca, Daksha non aveva invitato Shiva a questo grande yagna.

Quando i ministri e gli altri esseri celesti scoprirono che Daksha non aveva invitato alla yagna il Signore Shiva, lo avvisarono che Shiva è il più grande di tutti gli dèi e che doveva invitarlo, esprimendogli così il giusto rispetto. Inoltre i ministri di Daksha gli ricordarono che Shiva è il primo e più grande Guru nel lignaggio di tutti i Grandi Maestri e che secondo la tradizione indiana, nessuna attività o adorazione può iniziare senza prima l'invocazione al Guru, seguita da quella a Ganesha. Daksha, però, fu irremovibile.

La figlia di Daksha, Sati, venne a sapere del grande yagna e chiese al Signore Shiva il permesso di partecipare. Shiva rispose: "Egli ti insulterà perché sei mia moglie, ti coprirà di ridicolo e ti tratterà con disprezzo e, inoltre, non ti ha invitato. È meglio che tu non vada".

Sati rispose: "Non ho bisogno di un suo invito, dopo tutto è mio padre. Non c'è bisogno di un invito per andare a casa del proprio padre. Inoltre desidero convincerlo a darti il giusto riconoscimento".

Sati partecipò contro la volontà di Shiva ed entrò nel palazzo dove tutti gli dèi e gli esseri celesti sedevano intorno al grande fuoco acceso per il sacrificio.

Proprio come Shiva aveva predetto, quando Daksha vide Sati le mostrò poco rispetto e iniziò ad offendere il Signore Shiva dicendo: "Tuo marito non è altro che un mendicante e un pazzo. È perché possiede solo una ciotola da mendicante che gironzola nel cimitero? È adatto solo alla compagnia dei morti". Daksha continuò ad insultare suo marito finché Sati non ne poté più. Con i poteri yogici, Sati generò un fuoco dall'interno di se stessa, mettendo fine al proprio corpo.

Quando Shiva ne fu informato, s'infuriò. Fece uscire il suo esercito e lo mandò sul luogo dello yagna: Daksha fu ucciso e tutto lo yagna distrutto. Temendo l'ira di Shiva, gli altri dèi fuggirono per mettersi in salvo.

Più tardi, però, spinto da compassione, Shiva riportò in vita Daksha, sostituendo la sua testa mozzata con quella di una capra. Daksha comprese il suo errore e pregò Shiva di perdonarlo. Sebbene avesse organizzato un grande yagna – che era considerata un'azione tra le più giuste – a causa della sua errata attitudine esso era finito in guerra e in distruzione[7]. Anche un atto di adorazione, privo di umiltà e devozione, può portare solo calamità. Prendiamo l'esempio della Guerra del Mahabharata. Viste le azioni degli iniqui Kaurava che stavano distruggendo l'armonia nel regno, infine, dopo aver esaurito ogni metodo diplomatico, il Signore Krishna consigliò ad Arjuna e ai giusti Pandava di fare guerra contro di loro. In quella guerra, seguendo le istruzioni del Signore Krishna, Arjuna uccise centinaia di migliaia di persone – inclusi i suoi parenti prossimi – per ripristinare la rettitudine e l'armonia nel mondo. Sebbene Arjuna non volesse combattere, si abbandonò al Signore Krishna e Gli obbedì senza riserve. Dunque, mentre lo yagna di Daksha si trasformò in guerra, la guerra di Arjuna divenne uno yagna, un'offerta a Dio – e questo in conseguenza all'attitudine avuta nel compiere l'azione.

Molti di noi adorano e servono Amma, ma non sempre con la giusta attitudine. Ricordo un fatto divertente. Una volta, durante il darshan, faceva così caldo che una devota chiese ad Amma il permesso di farLe vento. Amma acconsentì, ma dopo un po' di tempo, un'altra devota si avvicinò e chiese alla prima di poter a sua

---

[7] C'è un grande simbolismo in questa storia. Il matrimonio di Sati con Shiva rappresenta in verità la sua accettazione di un Maestro spirituale, cosa spesso disprezzata dai genitori che hanno aspettative terrene per i loro figli. Il sacrificio di sé di Sati ci insegna, inoltre, che una volta dedicata la nostra vita a raggiungere la meta spirituale, non dobbiamo conservare attaccamento per nient'altro. Amma dice che altrimenti sarebbe come remare in una barca ancorata a riva: in questo modo non raggiungeremo mai l'altra sponda. Inoltre non dovremmo mai disubbidire al consiglio del nostro Guru (come fece Sati partecipando allo yagna contro il parere di Shiva), anche se talvolta va contro i nostri desideri.

Daksha rappresenta l'ego, che si aspetta di ricevere rispetto da tutti, persino dai Maestri Realizzati, e che cade preda in collera e invidia, quando la sua aspettativa è delusa. La morte di Daksha simboleggia la distruzione dell'ego e la sua nuova testa una rinascita spirituale. Quando l'ego se ne va, tutte le ostilità svaniscono e ogni parola che esce da noi è una preghiera.

volta far vento ad Amma. La prima devota rispose fermamente: "No, non posso cederti il posto perché Amma ha dato l'autorizzazione soltanto a me". La seconda devota attese per un po', ma la prima non cedeva; allora la seconda prese un altro ventaglio e cominciò, anche lei, a far vento ad Amma. La prima devota, allora, volle fare più aria della seconda e cominciò a sventolare molto vigorosamente e così nacque una competizione nella quale ciascuna di loro cercava di superare l'altra nel far vento ad Amma.

Alla fine, Amma si sentì soffocare e disse: "Ferme, ferme. Non voglio che nessuno mi faccia più vento". Entrambe stavano facendo un servizio personale ad Amma, ma con un'attitudine di rivalità e quindi il loro servizio divenne un disturbo per Lei.

Tutti coloro che stanno con Amma hanno la possibilità di fare qualche tipo di servizio personale per Lei, come metterLe in mano il prasad che Ella dona ai devoti, o prestare aiuto nella fila del darshan. (Vi sono, inoltre, illimitate opportunità di prestare servizio, partecipando alle attività spirituali e umanitarie dell'ashram.) Amma crea queste opportunità per darci una possibilità di starLe vicino e per aiutarci a diventare degni di ricevere la Sua grazia. Siamo incredibilmente fortunati ad avere tali occasioni, anche se, a causa delle nostre negatività – e per la maggior parte del tempo – non sappiamo ricevere il pieno beneficio che esse ci offrono.

Amma a questo proposito ci racconta una storia. C'erano due discepoli e un Guru. Questi due discepoli erano sempre molto in competizione nel servizio al loro Guru e quando Egli chiedeva ad un discepolo di fare qualcosa, l'altro s'ingelosiva e attaccava briga o insultava quello che aveva avuto l'opportunità di servirLo. Il Guru li avvisava spesso di liberarsi dai loro sentimenti di rivalità e gelosia ma, poiché non ascoltavano mai le sue parole, il Guru decise: "Qualunque lavoro chiederò di fare, lo dividerò tra i due, in modo che ciascuno ne faccia la metà, per evitare ogni antagonismo o rivalità tra loro. Quando chiederò ad uno di portarmi qualcosa da bere, la volta successiva lo chiederò all'altro".

Un giorno, il Guru aveva un dolore alle gambe e decise di chiamare un discepolo perché le massaggiasse, ma immediatamente pensò: "Oh no! Se chiamo un discepolo, l'altro si arrabbierà con lui, è meglio che li chiami entrambi". Dunque li chiamò e chiese ad un discepolo di massaggiare la gamba destra, e all'altro di fare lo stesso con la sinistra".

I discepoli erano molto felici di avere ciascuno una gamba da massaggiare, ma poi il Guru si addormentò e nel sonno si girò su un fianco, passando dalla posizione distesa sul dorso a quella ruotata sul fianco destro, portando naturalmente la gamba sinistra sulla destra. Il discepolo che stava massaggiando la gamba destra alzò lo sguardo e, pensando che fosse stato l'altro discepolo a muovere la gamba del Guru in quella posizione, disse: "Questo è il mio territorio, la gamba che stai massaggiando non deve stare qui".

L'altro discepolo non disse nulla perché sapeva che era stato il Guru a spostare la gamba e continuò a massaggiarla, anche se si trovava nel territorio del primo discepolo. Allora costui scattò: "Ti ho detto di non mettere la tua gamba qui, questo è il mio lato, stai alla larga", e così dicendo spinse la gamba sinistra verso il lato sinistro. L'altro discepolo disse: "Come puoi fare questo? È la gamba del Guru!", spingendola di nuovo sul lato destro. Continuarono a spingere la gamba avanti e indietro finché, alla fine, il primo discepolo perse la calma: prese un grosso bastone e diede un bel colpo alla gamba sinistra.

Chi soffrì in quella situazione? Fu il Guru a soffrirne, come conseguenza della loro gelosia e possessività nel servizio personale che stavano svolgendo per lui. La stessa cosa accadde ad Amma quando le due devote iniziarono a competere fra loro per farle aria.

Il Guru riversa sempre la grazia su di noi, ma dobbiamo diventare recipienti adatti a riceverla. Con l'attitudine giusta, quasi ogni azione potrà avvicinarci a Dio, mentre, assecondando un'attitudine scorretta, anche l'azione più giusta potrà impedire che la grazia di Dio ci raggiunga.

Ad esempio, le Scritture affermano che non è sbagliato mentire con l'intenzione di rispettare i sentimenti di qualcuno. Durante il tour del sud India del 2004, Amma visitò Rameshwaram, nella punta più a Sud dello stato del Tamil Nadu. Un gruppo di giovani venne in blocco a prendere il darshan. Il capo della compagnia disse a voce alta: "Amma! Ti ricordi di me?" e prima che Amma potesse rispondergli, continuò: "Amma, ero tuo compagno di classe alle medie!". Tutti sapevamo che non stava dicendo la verità: quest'uomo sembrava più giovane di Amma di almeno vent'anni. Poi si girò verso i suoi amici e aggiunse: "Amma ed io eravamo compagni di classe a scuola!". Tutti ci aspettavamo che Amma lo correggesse, ma Ella, invece, confermò la sua dichiarazione dicendo: "Sì, sì!" e lo abbracciò amorevolmente.

Più tardi, volevamo chiedere ad Amma una spiegazione della Sua strana risposta, ma la folla era così grande che non ne avemmo l'opportunità. In seguito, Ella ci spiegò: "Amma non ha mai frequentato la scuola di quel ragazzo, perché ha studiato soltanto nella scuola di Kuzhitura (un villaggio vicino all'ashram) e ha frequentato solo fino alla quarta elementare [8], ma non ha voluto smentire le sue parole. Forse lui voleva dimostrare ai suoi amici che conosceva bene Amma sin dall'infanzia. Se Amma lo avesse ripreso davanti agli amici, avrebbe potuto procurargli una profonda cicatrice nel cuore. Amma desiderava che portasse con sé un dolce ricordo del suo darshan, non un cuore pesante".

In questo caso, e come sempre, l'azione di Amma è stata in perfetto accordo con le Scritture. Esiste un detto nei Veda, *"Satyam bruyat, priyam bruyat, na bruyat satyamapriyam"*, che

---

[8] Amma lasciò la scuola all'età di nove anni per prendersi cura dei bisogni della Sua famiglia, poiché Sua madre si era ammalata.

significa "Dite la verità; dite solo parole gentili; non usate mai parole sgradevoli neppure se sono vere".

Dunque non possiamo affermare che dire la verità sia sempre una buona azione e che mentire sia sempre un male perché, se dicendo la verità è nostra intenzione ferire qualcuno, ciò diventerà una cattiva azione, mentre anche raccontare una bugia sarà una buona azione, se l'intenzione è di proteggere qualcuno.

Tutto dipende dalla nostra attitudine o intenzione: il creare un prarabdha buono o uno cattivo, e il compiere un'azione che aiuti oppure ostacoli i nostri sforzi per diventare idonei a ricevere la grazia di Dio.

Capitolo 13

Egoismo e altruismo

Un'attitudine altruistica ci avvicina ad Amma sempre più. Ad Amritapuri, ogni martedì, i residenti dell'ashram passano la mattinata in meditazione e Amma viene a servire il pranzo nella sala di preghiera dove c'è normalmente una grande folla: Amma serve ben più di 2000 piatti. Una volta, ricevendo il prasad di Amma, un devoto lasciò cadere accidentalmente il piatto ai Suoi piedi, rovesciando il curry e il riso sul pavimento.

Poiché vi erano ancora parecchie persone che aspettavano di ricevere il cibo da Amma, cominciai a pulire, affinché queste non calpestassero la sporcizia, ma dopo poco cominciai a pensare che, sporcandomi le mani, avrei dovuto lavarle prima di mangiare il prasad di Amma. Se me ne andavo per lavarmi le mani rischiavo di perdere il mio posto: Amma, infatti, avrebbe forse chiesto a qualcun altro di sedere vicino a Lei, perciò smisi di pulire.

Nel frattempo, un altro brahmachari si inginocchiò e pulì il pavimento, anche lui a mani nude. Quando ebbe finito non andò a lavarle, anche se erano sporche, ma rimase vicino ad Amma osservandoLa servire il prasad. Quando arrivò il suo turno per il prasad, prese il piatto e si voltò per andarsene, ma Amma lo fermò e gli chiese di sedere vicino a Lei. Poi invitò tutti a mangiare. Proprio quando questo brahmachari stava per cominciare, Amma afferrò la sua mano e la trattenne dicendo: "Figlio mio, le tue mani sono sporche", poi prese una caraffa d'acqua, gliele lavò e gli mise persino in bocca qualche boccone di cibo con le Sue stesse mani.

Quando vidi tutto questo, compresi di aver commesso un errore. Avevo pensato soltanto a me stesso, mentre, pulendo per terra, l'altro brahmachari aveva pensato soltanto a servire Amma e i devoti. Il mio egoismo era stato più forte dell'attitudine al servizio, sebbene avessi cominciato a pulire il pavimento con quello spirito. Ero stato motivato dal desiderio di rimanere vicino ad Amma, ma l'altro brahmachari, che non aveva avuto un secondo pensiero per se stesso, Le era andato ancora più vicino. Mentre questi pensieri scorrevano nella mia mente, Amma mi guardò e sorrise maliziosamente.

Abbiamo molte occasioni per ottenere la grazia di Amma ma sfortunatamente, il più delle volte, le gettiamo via, spinti dal nostro egoismo e dall'ego.

Una volta, un uomo cadde in un profondo fossato da cui non era capace di uscire. Dopo molto tempo, un passante udì i suoi gemiti e si affacciò sul bordo del fosso. "Aiuto!", esclamò l'uomo nel fossato, "sono caduto qui dentro e non mi riesce d'uscire!".

Il passante scrollò semplicemente le spalle: "È il suo prarabdha – deve affrontare le conseguenze delle sue azioni passate", e se ne andò.

Dopo un po', un'altra persona s'imbatté in quest'uomo nel fossato. "Che cosa le è capitato?", chiese.

"Stavo camminando e sono caduto nel fossato", si lamentò l'uomo.

"Ma non ha visto il segnale di pericolo posto sul ciglio della strada? Stia più attento in futuro!", lo sgridò e continuò a camminare. Poco dopo, sopraggiunse una terza persona che, sentendo i lamenti, guardò nel fosso. Senza neppure chiedere che cosa fosse accaduto, saltò giù, sollevò l'uomo sulle spalle e lo portò fuori di là.

Questi passanti illustrano i tre modi con cui possiamo rispondere alla sofferenza degli altri. Quando vediamo qualcuno che soffre, possiamo semplicemente dire che si tratta del suo prarabdha e lasciare che si arrangi. In alternativa possiamo offrirgli un consiglio e rilevare i suoi errori, o possiamo accettare la sua sofferenza come fosse nostra, facendo il possibile per sollevarlo. La maggior parte di noi risponderà in uno dei due primi modi citati; il terzo è quello di Amma. Preghiamo affinché tutti noi possiamo aspirare a sviluppare un cuore traboccante di compassione, così da considerare nostra la sofferenza degli altri: questa attitudine ci porterà beneficio spirituale e potrà trasformare perfino la società e il mondo.

Amma afferma: "Chi ama Dio sentirà sicuramente compassione per i sofferenti, perché la devozione e il servizio altruistico non sono due cose distinte ma una sola, sono le due facce della stessa moneta".

Una volta portai in un'officina l'autobus dell'ashram (che a quel tempo era uno solo) affinché fosse riparato, proprio prima della partenza programmata per un tour nel Kerala. Inaspettatamente, per la riparazione fu necessario più di un giorno intero e perciò fui costretto a passare là anche la notte: mi sdraiai nell'autobus, ma non riuscii a dormire perché i lavori di riparazione andarono avanti ininterrottamente. Andò a finire che potei ritornare all'ashram soltanto la sera del giorno successivo. Quando arrivai, vidi che Amma e i brahmachari avevano già attraversato il fiume e stavano aspettando l'autobus, poiché la partenza era stata prevista per quel pomeriggio.

Non avevo mangiato, dormito o fatto un bagno da quando avevo lasciato l'ashram il mattino del giorno prima e dovevo proprio avere un aspetto esausto e trasandato. Amma si avvicinò e mi chiese la causa del ritardo, io Le spiegai l'accaduto e poi andai per avviare l'autobus in modo da poter partire immediatamente. Amma mi richiamò e fece per abbracciarmi, ma io Le dissi: "Amma, per favore non toccarmi, non ho fatto un bagno e puzzo di sudore". Ma Amma non ascoltò le mie proteste e, stringendomi tra le Sue braccia, disse: "Il sudore del servizio altruistico è come un profumo per me". Poi chiese ad un altro brahmachari di guidare l'autobus e mi fece sedere vicino a Lei finché ci fermammo per la cena.

Amma non vuole niente da nessuno in cambio della dolcezza e dell'amore che Lei offre, ma è felice quando facciamo la nostra parte nell'aiutare gli altri. Possiamo farla lavorando disinteressatamente per alleviare la sofferenza dei poveri e dei bisognosi: il mondo attuale necessita di simili persone sincere e altruiste, altrimenti ci saranno soltanto più sofferenza e problemi. Al riguardo, ricordo la dichiarazione dell'ex Primo Ministro dell'India, Atal Behari Vajpayee, durante l'inaugurazione dell'ospedale super specialistico di Amma (AIMS). Egli disse: "Il mondo d'oggi ha bisogno di trovare conferma che i nostri valori umani sono utili, che qualità come compassione, altruismo, rinuncia e umiltà hanno il potere di creare una società grande e prosperosa. Il lavoro di Amma ci fornisce quella prova tanto necessaria".

Amma non si aspetta che facciamo qualcosa che non siamo in grado di fare, non pretende che un pesce porti un grande peso come può fare un mulo, o che un mulo nuoti nel mare, ma si aspetta solo che viviamo come esseri umani pieni di compassione, amore e premura.

Capitolo 14

Satsang: il primo passo di una vita spirituale

Il primo passo sul cammino spirituale è il satsang. Sat significa Verità Suprema e sang associazione, quindi, in senso letterale, satsang significa associarsi con la Verità, o comunione con la Verità. Tuttavia, visto che la maggior parte di noi non è in grado di fare ciò, la forma migliore di satsang è stare vicino a chi già risiede nella Verità. Se non ci è possibile passare del tempo in compagnia di un Maestro Realizzato, potremmo, almeno, cercare di associarci con persone inclini alla spiritualità, poiché, in loro presenza, riusciremo a pensare a Dio e ricordare la meta della vita umana. Ecco perché Amma incoraggia i Suoi devoti ad incontrarsi regolarmente per cantare le lodi di Dio, meditare, pregare, leggere libri e condurre discussioni spirituali: anche questo viene chiamato satsang.

Quando partecipiamo a qualche forma di satsang con sincerità e concentrazione, siamo in grado di creare vibrazioni positive all'interno di noi. Vi sono molte attrazioni e distrazioni nel mondo e, indugiando nei numerosi passatempi odierni, invitiamo molta inquietudine inutile nella nostra mente, diventando irrequieti e tesi. Il satsang ci aiuta a mantenere la mente relativamente calma e tranquilla.

Vi è una famosa storia popolare su Leonardo da Vinci e "L'ultima Cena", il suo dipinto più famoso. Si narra che, quando Leonardo decise di dipingere "L'ultima Cena", mandò dei suoi emissari a cercare in lungo e in largo una persona il cui volto potesse rappresentare Gesù, poiché voleva dipingere per primo il Cristo.

L'emissario di Leonardo tornò con il tipo giusto – un giovane di bell'aspetto, retto e di buone maniere e da Vinci lo usò come modello per Gesù, restando molto soddisfatto del risultato. Poi continuò a dipingere uno ad uno i rimanenti discepoli, ritraendoli sul modello di altri undici uomini che gli erano stati portati. Passarono così molti anni da quando aveva iniziato il dipinto, finché non rimase da ritrarre che un ultimo discepolo, Giuda, quello che aveva tradito Gesù per sole trenta monete d'argento.

Il grande artista, dunque, mandò di nuovo delle persone a cercare un modello, raccomandandosi di trovare un uomo dall'aspetto crudele e dal contegno malvagio, idoneo a rappresentare Giuda. Finirono per portargli un uomo il cui aspetto testimoniava molti anni passati nella rabbia, nell'odio e nell'egoismo. Da Vinci era soddisfatto e cominciò subito a dipingere l'ultimo discepolo, ma, proprio allora, l'uomo che aveva scelto come modello per Giuda, cominciò a singhiozzare in modo incontrollabile. Leonardo smise di dipingere e gli chiese perché piangesse.

L'uomo lo guardò e disse: "Non mi riconosce?".

Leonardo lo guardò più da vicino, ma non riuscì a identificare quel volto e si scusò dicendo: "Sono certo di non averla mai vista prima".

"Osservi il suo dipinto", lo pregò l'uomo, "sono lo stesso uomo che lei aveva scelto molti anni fa per fare il ritratto di Gesù".

Leonardo lo guardò meglio e vide che era vero: lo stesso uomo che era stato così adatto a rappresentare Gesù, in seguito ad anni trascorsi in cattiva compagnia e ad azioni egoistiche e violente, era diventato la perfetta copia dell'uomo che lo aveva tradito.

Amma dà perciò molta importanza al satsang, perché sa che noi sviluppiamo spontaneamente le qualità corrispondenti al tipo di compagnie che frequentiamo o alle relazioni che abbiamo.

Amma fa il seguente esempio. In India potete trovare dei templi dove i pappagalli ripetono nomi divini come "Ram, Ram, Ram, Ram", oppure "Hare, Hare, Hare, Hare" o anche mantra come "Om Namah Shivaya" poiché, vivendo nei pressi del tempio e udendo il canto dei devoti durante le loro visite al luogo sacro, essi imparano a salmodiare gli stessi nomi divini e mantra. Nello stesso tempo, però, un pappagallo che viva vicino ad un negozio di liquori o ad un bar, dove la gente va a bere e magari si insulta con parole volgari, apprenderà soltanto quel tipo di vocabolario.

Le persone hanno differenti gradi di tendenze spirituali e se una persona con una minima inclinazione alla spiritualità partecipa a qualche forma di satsang, la scintilla dell'interesse potrà infiammarsi.

Amma afferma che le cattive abitudini sono come un incendio – si estendono molto in fretta – mentre quelle positive hanno bisogno di tempi lunghi prima di lasciare una traccia. Se indugiamo in qualcosa per tre o quattro volte, ne verremo completamente schiavizzati. Ad esempio, avremo un attacco di emicrania se, dopo aver bevuto del caffè per quattro giorni di seguito, il quinto giorno non ne potremo avere. Ma se si tratta di buone abitudini, come quella di avere un orario regolare per la pratica spirituale o di usare sempre parole gentili, non siamo mai metodici nel metterle in pratica, anche se ci hanno informato centinaia di volte sulla loro importanza. E certamente non ci verrà il mal di testa come conseguenza!

I nostri desideri e attaccamenti spingeranno la nostra mente sempre più in basso nelle faccende del mondo, mentre avrebbe piuttosto bisogno di sollevarsi sopra di esse. Amma fa spesso il seguente esempio.

Quando gli scienziati lanciano un razzo nello spazio, una prima fase porterà il satellite soltanto su un'orbita intorno alla terra, ma sarà necessario un razzo ausiliario per superare la forza

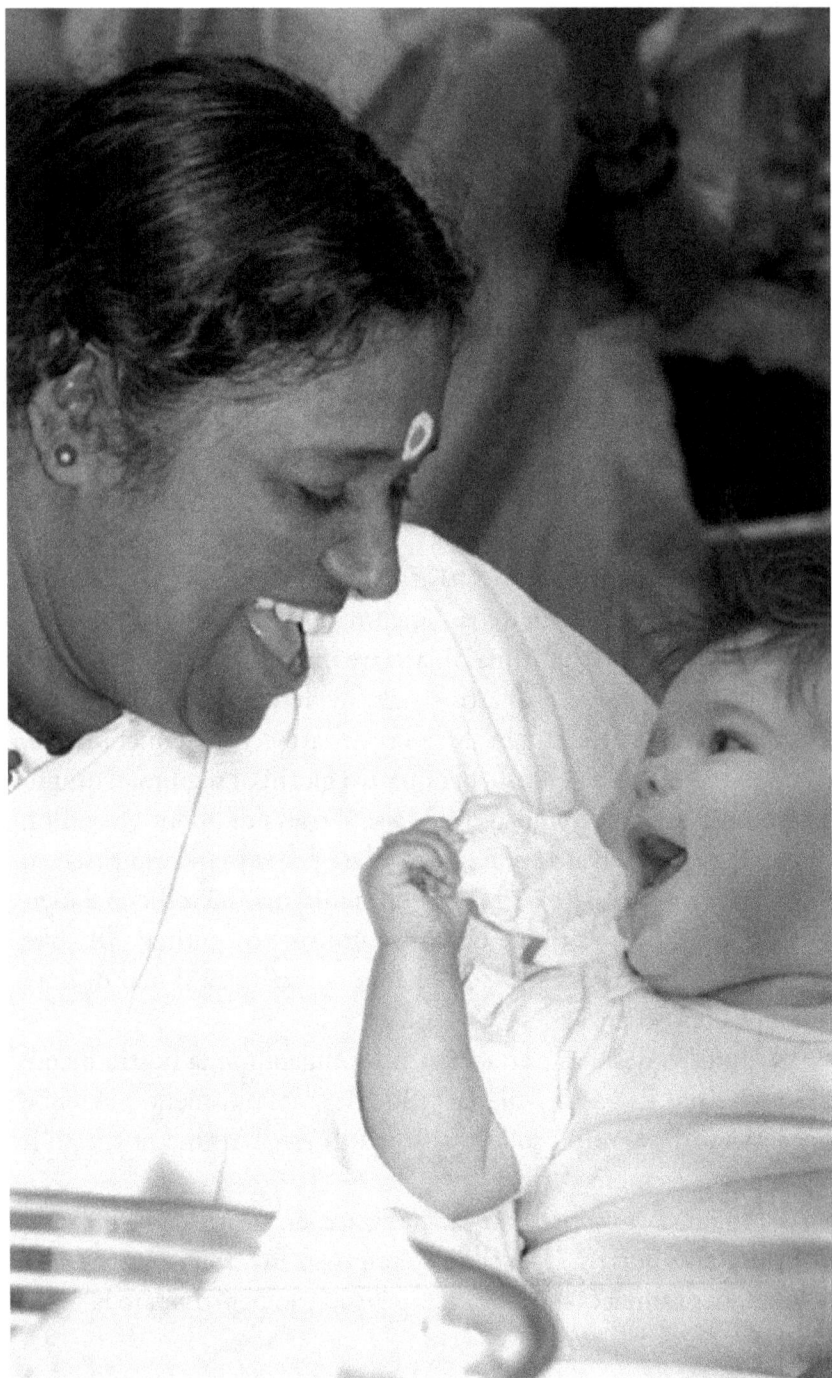

di gravità. Allo stesso modo, la nostra mente è intrappolata in un'orbita intorno all'ego e se vogliamo liberarci avremo bisogno anche noi di un razzo ausiliario – un Maestro Spirituale il quale ci spinga lontano dalla forza di attrazione dell'ego e ci porti diritti a Dio. Rimossi tutti gli ostacoli dal nostro cammino, saremo in grado di trascendere ogni limitazione e raggiungere la vera libertà.

Molti di noi non erano interessati per nulla alla spiritualità prima di arrivare da Amma, ma dopo averLa incontrata, hanno provato interesse per le pratiche spirituali e per una vita spirituale. Questo nostro interesse, però, potrebbe diminuire altrettanto improvvisamente se nella vita ci accadesse qualcosa di sfavorevole o se, al contrario, le cose scorressero così positivamente da farci dimenticare tutto sulla spiritualità e da convincerci di non aver più bisogno dell'aiuto di Dio. In quel momento dobbiamo ricordare che è soltanto la grazia di Dio che ci consente di stare così bene. Abbiamo dunque bisogno del satsang, sia per accendere il nostro interesse per la spiritualità, che per mantenerlo a lungo nel tempo.

Amma fa il seguente esempio: se noi gettiamo un pezzo di ferro nell'acqua affonderà mentre, al contrario, galleggerà, se lo posiamo su di un materiale galleggiante, come un blocco di legno, ad esempio. Nello stesso modo, il satsang può costituire un aiuto nell'impedire che la nostra mente s'immerga completamente nelle attrazioni e distrazioni del mondo (forse ci bagneremo, ma non annegheremo). Questo processo diverrà più facile se abbiamo un Satguru, perché attraverso il Suo amore incondizionato e la Sua compassione, e osservando il Suo esempio, saremo in grado di superare molti dei nostri desideri e attaccamenti egoistici. Quelli di noi che vivono con Amma possono capire questa affermazione in base alla loro propria esperienza. Infatti vi sono innumerevoli esempi di persone che, dopo aver incontrato Amma, hanno rinunciato alle attrazioni dei vari oggetti del mondo e, anziché inseguire le conquiste e i successi mondani, preferiscono impegnare il loro tempo libero in pratiche spirituali e servendo gli altri.

Il Grande Maestro Adi Shankaracharya ha detto:

satsangatve nissangatvam
nissangatve nirmohatvam
nirmohatve niscala tatvam
niscalatatve jīvan muktiḥ

Grazie al satsang saremo in grado di superare i nostri attaccamenti. Superando i nostri attaccamenti, supereremo l'illusione che gli oggetti del mondo ci diano una felicità duratura. Superando questa illusione, la mente diverrà calma e immobile. Questa immobilità mentale ci condurrà alla libertà dai legami pur essendo ancora in questo corpo.

Durante il satsang, discutiamo argomenti e princìpi spirituali, preghiamo e meditiamo e questo ci aiuterà a capire la natura del mondo e dei suoi oggetti: inizieremo ad analizzare razionalmente il mondo, capiremo che siamo attaccati a molte cose o persone nel mondo e che facciamo esperienza del dolore ogni volta che queste persone o cose cambiano o si allontanano da noi.

Quando cominceremo a comprendere che Dio è eterno e ogni altra cosa, invece, è destinata un giorno a scomparire, saremo capaci di sviluppare un'attitudine di distacco verso tutto eccetto Dio, o Atman.

Grazie al distacco, saremo in grado di superare l'illusione, considerando come "illusione" l'errata concezione che "Io non potrò essere felice se non avrò un certo oggetto, una certa persona, o il tale successo, ecc". Se siamo distaccati da queste cose, smetteremo di inseguirle, superando così la relativa illusione. Ad esempio, può accadere che un forte fumatore vada da Amma per la prima volta e, dopo aver ricevuto il darshan, si sieda a lungo vicino a Lei, accorgendosi solo al momento di andarsene che sono passate tre ore. Normalmente, in quel tempo, avrebbe fumato almeno sei sigarette e si sarebbe sentito molto agitato se non avesse avuto la possibilità di farlo; seduto vicino ad Amma, invece, il pensiero di fumare non gli è passato per la testa neanche una volta e si è sentito molto più felice del solito. Dunque, comprende che era sbagliata la sua convinzione di aver bisogno delle sigarette per essere felice. Attraverso il satsang di Amma è stato in grado di sentirsi distaccato dal fumo, il che gli ha consentito di superare l'illusione di dipendere dalle sigarette per essere felice.

Prima di venire all'ashram, un brahmachari aveva l'ambizione di diventare una stella del cinema e pensava che la sua vita sarebbe stata sprecata se non fosse diventato un famoso attore: venne da Amma, quindi, per avere la Sua benedizione al fine di realizzare il suo sogno. Fu così sopraffatto dall'incontro con Amma e dal Suo amore che egli rimase all'ashram alcuni giorni e, quando poi ritornò a casa, scoprì che il suo desiderio di stare vicino ad Amma era così intenso che tornò immediatamente indietro e non fece mai più ritorno a casa. Il suo desiderio di diventare una stella del cinema sparì completamente, poiché attraverso il suo amore per Amma, trovò il distacco dal mondo, e fu in grado di superare il suo illusorio concetto di felicità e appagamento.

Quando questa illusione scompare, la nostra mente diviene abbastanza ferma e tranquilla, mentre la presenza dell'illusione ci spinge ad inseguire disperatamente l'oggetto che reputiamo indispensabile alla nostra felicità. Sia che otteniamo ciò che vogliamo oppure no, la nostra mente si agita nello sforzo; ma se siamo liberi da questa illusione, la mente è a riposo, calma e quieta.

Con una simile mente immobile e tranquilla, saremo in grado di raggiungere quella concentrazione necessaria nelle nostre pratiche spirituali che ci guiderà infine a *jivanmukti* (la liberazione mentre si è ancora in vita).

In quello stato non saremo influenzati da nulla e otterremo la meta finale – la totale felicità e il completo appagamento, senza l'aiuto esterno di alcun oggetto o persona.

Amma ci fa un altro esempio sui pappagalli: supponiamo di ammaestrare un pappagallo a recitare dei mantra, senz'altro li ripeterà, ma cosa succederebbe se lo lasciassimo libero e il gatto lo catturasse? In quel momento, il pappagallo non ripeterebbe dei mantra, ma strillerebbe secondo la sua natura! Questo perché i mantra non sono scesi in profondità nel suo cuore. Nello stesso modo, per ricevere il desiderato beneficio dal satsang dobbiamo abbracciarlo con un cuore aperto. Amma dice sempre che nessuno torna, dopo esser stato in compagnia di un Mahatma, senza averne beneficiato almeno un poco, proprio come una persona esce profumata dalla visita ad una fabbrica di profumi, anche se non ha acquistato o usato alcun profumo. E se saremo ricettivi e liberi da preconcetti potremo in verità beneficiarne ancora di più, poiché i semi della grazia non potranno germogliare sulla roccia dell'ego, ma cresceranno e daranno un generoso raccolto nel fertile terreno di un cuore innocente.

Perciò, come ricercatori spirituali, fate in modo di partecipare più spesso che potete a qualche forma di satsang.

Capitolo 15

Pellegrinaggio o picnic?

Ad un certo punto della loro vita, molte persone in India intraprendono un pellegrinaggio che, in un certo senso, può essere considerato satsang, perché recarsi in pellegrinaggio in un luogo sacro ci aiuta a mantenere la mente focalizzata sulla meta spirituale.

Un pellegrinaggio è davvero molto semplice, significa andare in un tempio o in un luogo sacro e ritornare, ma, ai nostri giorni, i pellegrini incontreranno molte tentazioni durante il viaggio: buoni ristoranti, graziosi alberghetti, cinema, centri commerciali, perfino circhi o spettacoli di varietà e, se non saranno attenti, verranno sviati da tutte queste distrazioni al punto da dimenticare il vero scopo del loro viaggio e finiranno col fare un picnic anziché un pellegrinaggio!

Un devoto di Amma mi ha raccontato una storia. Gli era capitato di far visita ad un suo amico che era appena tornato da un pellegrinaggio ad un famoso tempio di Shiva, nel nord India. Quando entrò nella casa, vide una foto a grandezza naturale dell'amico seduto su un cammello. Il devoto allora gli chiese: "Che significa? Dove hai cavalcato un cammello?".

"Quando ho visitato il tempio di Shiva", rispose l'amico.

Il devoto chiese: "Dovevi proprio fare un pellegrinaggio per cavalcare un cammello? Bastava andare al villaggio qui vicino!".

Lo scopo era di andare a porgere i suoi rispetti al Signore Shiva e di ritornare ma, anziché comprare un'immagine del Signore, l'uomo aveva acquistato una grande foto di se stesso a cavallo di un cammello.

Vedete come la mente può distrarsi facilmente? Gli affaristi conoscono la natura della mente: sanno che anche le persone che si recano in pellegrinaggio non sono completamente focalizzate su Dio; per questo possiamo vedere molti, in India, che riescono a fare soldi in ogni modo – persino nei luoghi più sacri di pellegrinaggio o di preghiera – grazie a cavalcate su elefanti, cavalli e cammelli, ricercati ristoranti, alberghi a cinque stelle, pizzerie e sale giochi.

Naturalmente saremo attratti da queste opportunità. "Oh!", penseremo, "Non ho mai cavalcato un cammello finora, meglio che approfitti di quest'occasione", e così non saremo capaci di concentrarci sullo scopo del nostro viaggio neppure durante un pellegrinaggio.

Molti anni fa, per soddisfare il desiderio di alcuni brahmachari, Amma ci portò in pellegrinaggio a Tiruvannamalai, un luogo sacro del Tamil Nadu, sede dell'ashram di Sri Ramana Maharshi e della montagna sacra Arunachala, dove rimanemmo per due giorni. Il primo giorno, come al solito, ci alzammo prima dell'alba e svolgemmo le nostre preghiere e meditazioni del mattino. Amma ci portò poi a visitare il tempio e la cima della montagna. Al ritorno, Ella si ritirò nella Sua stanza, lasciandoci liberi di fare quello che volevamo, giacché eravamo stanchi della camminata. Dopo un buon pasto, passammo il pomeriggio a chiacchierare e a riposare senza fare nessuna pratica spirituale. Quella sera, dopo i bhajan, non potemmo dare ad Amma una risposta soddisfacente quando ci chiese come avevamo impiegato il nostro tempo durante il giorno, perché non avevamo fatto nulla di particolare. Dopo aver ascoltato la nostra risposta, Amma si diresse verso la Sua stanza, senza proferire una sola parola.

Il giorno dopo ci alzammo come sempre alla solita ora. Di regola, la prima cosa che facciamo appena alzati è il bagno, dato che la tradizione vuole che si facciano delle abluzioni prima di comnciare le preghiere del mattino, ma, quella mattina, per pigrizia, alcuni di noi erano riluttanti a lavarsi, giustificandosi dicendo che era troppo freddo per fare un bagno, anche se non era vero. Proprio allora, udimmo qualcuno gridare che Amma era uscita. Guardammo fuori e vedemmo Amma che s'incamminava verso Arunachala con a fianco Swami Paramatmananda. Egli si rivolse a noi informandoci che Amma andava a fare il giro della montagna. Non appena scoprirono che Amma era già per strada, anche quelli di noi che fino a pochi momenti prima si sentivano pigri, fecero velocemente una doccia fredda e Le corsero dietro.

Nel Suo giro intorno alla montagna, Amma si fermò in tutti i templi e caverne, chiedendoci di ripetere per tre volte "Om" e, in alcuni luoghi, ci chiese anche di sedere e meditare. Il giro della montagna di solito dura un'ora e mezza, ma noi impiegammo sei ore. Trascorremmo il resto della giornata in meditazione a cantando bhajan. Con il Suo esempio, Amma ci mostrò il giusto modo di comportarsi durante un pellegrinaggio. Più tardi ci disse che se quella mattina Lei non fosse uscita, noi avremmo sprecato anche il secondo giorno di pellegrinaggio.

Dobbiamo essere molto attenti e vigili perfino in pratiche che sembrano tanto semplici quanto un pellegrinaggio, perché anche una piccola quantità di noncuranza può far fallire il nostro scopo. E che cosa aggiungere, quindi, circa le pratiche più sottili come la meditazione? Per un ricercatore spirituale, è meglio stare il più lontano possibile dalle distrazioni e dagli svaghi.

In Kerala, c'è un famoso tempio chiamato Sabarimala che si trova nel mezzo di una foresta che ospita molti animali selvatici come tigri, elefanti e orsi, e fino a circa trent'anni fa l'andarci costituiva un'escursione molto pericolosa. Ora il viaggio è molto meno rischioso perché è stata costruita una strada che attraversa la foresta.

Il tempio è dedicato al Signore Ayappa e come vuole la tradizione di questo tempio, i devoti che intendono fare un pellegrinaggio a Sabarimala, prima di mettersi in viaggio, devono osservare stretti voti per 41 giorni: celibato e astensione da fumo, alcool e carne. Nei tempi antichi, dovevano fare il pellegrinaggio a piedi, cucinandosi il cibo e dormendo lungo la strada, in balìa della natura, inzuppandosi d'acqua se pioveva e arrostendo sotto il sole se faceva caldo. Inoltre, dovevano portare un paniere con noci di cocco, burro chiarificato e riso da offrire a Dio durante l'adorazione nel tempio e non potevano entrare nel tempio senza questo paniere, o *irumudi*. Tutte queste austerità (*tapas*) erano un modo per esprimere la loro devozione a Dio e, attraverso tale stretta disciplina e rinuncia a tutti gli agi, una volta ritornati a casa, potevano constatare di aver acquisito dell'energia spirituale.

Ai giorni nostri la maggior parte delle persone non segue più strettamente tutte queste discipline. Molti non osservano più i 41 giorni di voti e, anziché fare il pellegrinaggio a piedi, i più prendono l'autobus. Se non portate l'irumudi, non vi lasceranno salire i 18 scalini sacri dell'entrata principale del tempio, ma sarà possibile entrare da una porta laterale o posteriore. Molte persone, oggi, preferiscono prendere tutte queste scorciatoie ma, così facendo, gran parte dello scopo del pellegrinaggio è andata persa. Insieme alla destinazione, sono molto importanti, infatti, anche lo sforzo che compiamo e l'osservanza delle regole lungo il cammino, perché sono esse che ci daranno forza spirituale e ci aiuteranno ad ottenere la grazia di Dio. Non possiamo pensare di guidare semplicemente fino a Sabarimala ed entrare dalla porta posteriore, sperando di ricevere lo stesso beneficio di coloro che hanno intrapreso il pellegrinaggio con sincerità.

Amma racconta la seguente barzelletta. C'era un ragazzo che un giorno tornò a casa da scuola con un grande sorriso sulle labbra. Il padre gli chiese: "Che cosa è successo a scuola oggi? Perché sei così felice?". Il ragazzo rispose: "Oggi a scuola c'è stata una gara di atletica. Io ho corso i 400 metri in 20 secondi".

"Cosa? Perfino il record del mondo è più del doppio, come hai potuto correre i 400 metri in 20 secondi?".

"Ho preso una scorciatoia!", disse il ragazzo.

Come poteva quella corsa chiamarsi ancora "400 metri" se il ragazzo aveva preso una scorciatoia? Allo stesso modo, se non seguiamo le discipline richieste, verrà annullato il reale spirito del pellegrinaggio il cui scopo è di guadagnare la grazia di Dio. Eppure, perfino in questo, vogliamo prendere delle scorciatoie, anche se in verità non ci sono scorciatoie per ricevere la grazia di Dio.

Una volta, un devoto ebbe una visione di Dio. Nel vederLo, Lo ringraziò e recitò le sue preghiere ma, poiché Dio rimase a lungo davanti a lui, il devoto ebbe modo di chiarire tutti i suoi dubbi in materia di fede. Ma ancora Dio non se ne andava e allora il devoto pensò di chiedere qualcosa sul Suo regno e disse: "Oh Signore, come si calcola il tempo in Paradiso?".

Dio sorrise e rispose: "Un milione di anni sulla Terra equivalgono ad un solo minuto in paradiso".

Il devoto era sorpreso e si arrischiò a fare un'altra domanda: "Oh Signore, che valore ha la moneta del paradiso?".

"Un Euro nel Mio regno equivale ad un milione di Euro sulla Terra", rispose Dio.

Il devoto non poté credere alle sue orecchie e pose un'ulteriore domanda: "Oh Signore misericordioso, puoi darmi per favore un Euro del paradiso?".

"Sicuro", rispose il Signore, "aspetta solo un minuto".

Amma afferma sempre che la grazia di Dio può essere ottenuta soltanto facendo uno sforzo sincero. Per molte persone andare all'ashram di Amma è un lungo viaggio – tra aerei, treni e automobili – e la vita all'ashram può non essere confortevole come quella cui sono abituate a casa. Oggi all'ashram si possono trovare tutte le necessità di base e si possono perfino mandare e-mail ma, nei primi tempi, la situazione era molto diversa. Spesso non avevamo elettricità, non c'era acqua corrente e dovevamo portare l'acqua dalla fontana del villaggio. A volte anche lì non c'era acqua per parecchi giorni e noi dovevamo andare nel villaggio dall'altra parte del fiume, solo per rifornirci di acqua potabile. All'inizio, non c'era alcun posto per dormire, perché i genitori di Amma non volevano che i brahmachari entrassero in casa di notte, vista la presenza delle sorelle di Amma, perciò dormivamo all'aperto, sulla sabbia, e, se durante la notte pioveva, ci rifugiavamo a sedere nel tempio. Vedendo la nostra situazione, anche Amma rifiutava di dormire in casa e molte notti non dormiva affatto. Altre volte dormiva fuori, stesa davanti alla casa ad una certa distanza dai brahmachari.

In seguito, quando Swami Paramatmananda (allora Br. Nealu) venne a stare all'ashram, portò abbastanza denaro per costruire una piccola capanna all'interno della quale c'erano una cucina, una dispensa e spazio appena sufficiente per far dormire quattro o cinque di noi. Sebbene a quel punto avessimo una cucina, la maggior parte delle volte però non c'erano abbastanza provviste per preparare i pasti. Qualche volta i devoti di Amma portavano del cibo per noi, ma, se arrivavano altri devoti, Amma voleva che lo usassimo per sfamare loro, anziché noi stessi. Amma insisteva sempre che i devoti avessero qualcosa da mangiare quando venivano all'ashram, anche se ciò comportava che Lei stessa e i brahmachari rimanessero senza cibo. In tali occasioni, Amma qualche volta andava nelle case vicine e riceveva *bhiksha* (offerte di cibo) per noi.

Anche se si trattava di una vita dura sotto ogni aspetto, noi non ne soffrivamo mai, eravamo così focalizzati su Amma che non rimpiangevamo nessuno dei soliti agi del mondo, neppure le necessità di base come il cibo, l'acqua e un tetto sulla testa.

In seguito, anche quando avemmo i mezzi, Amma accettò di provvedere solo alle minime comodità nell'ashram, volendo inculcare uno spirito di rinuncia in tutti coloro che venivano. Amma diceva: "Quando le persone vengono all'ashram, devono rinunciare almeno a qualcuna delle loro comodità per acquisire, in questo modo, benefici spirituali". Amma esige che quando venite nel Suo ashram – spendendo così tanto tempo, denaro ed energia – voi possiate guadagnare almeno un po' di forza spirituale o qualche beneficio spirituale da portare a casa con voi. Ecco perché ancora oggi che persone da tutte le parti del mondo vengono all'ashram, l'ashram non è un luogo di villeggiatura e dovrete fare qualche tipo di sacrificio per restare.

Dunque per noi figli di Amma, venire ad Amritapuri può essere un grande pellegrinaggio ma, quando veniamo, dobbiamo ricordare di cercare di completarlo con il giusto spirito. Se dobbiamo sopportare qualche disagio, o fare qualche sacrificio, consideriamoli come un modo per sviluppare forza spirituale e diventare idonei a ricevere la divina grazia di Amma.

119

Capitolo 16

Il potere unico della discriminazione

Alcune cose, come il cibo, il sonno, la procreazione e il bisogno di sicurezza sono comuni agli esseri umani e agli altri esseri viventi, ma i primi hanno una qualità che li differenzia da tutte le altre creature. A renderli unici non è l'intelligenza, giacché anche gli animali, in una certa misura, la posseggono, bensì il potere della discriminazione[9]. Per una persona comune, la discriminazione indica la capacità di distinguere tra giusto e sbagliato, tra utile e dannoso, ma per un ricercatore spirituale non vuol dire soltanto questo: indica anche la sua capacità di usare la discriminazione per distinguere ciò che è eterno – Dio o la Verità – da ciò che è mutevole o impermanente.

A causa di un non corretto uso del potere della discriminazione, la stessa intelligenza che è stata d'aiuto agli esseri umani per creare prosperità, ha rappresentato anche il motivo della loro miseria e sofferenza, poiché l'intelligenza senza discriminazione può portare alla distruzione. La violenza carnale, gli omicidi, gli atti di oppressione, gli attacchi terroristici perpetrati dagli esseri umani e la creazione di circostanze che portano a impoverire e ad affamare gli altri, sono tutte conseguenze del mancato uso

---

[9] "Discriminare" ha origine dalla omonima parola latina che significa "dividere" e dalla parola "discernere", cioè "separare". In Occidente, la discriminazione è generalmente associata a qualche forma di pregiudizio, invece, secondo il Vedanta, la vera discriminazione è la capacità di separare l'immutabile ed eterno Sé dal mondo mutevole ed effimero.

della discriminazione. Se le persone usassero le proprie facoltà fisiche, mentali e intellettuali per servire gli altri, per asciugare le loro lacrime e per alleviare le loro sofferenze, allora il mondo potrebbe venire trasformato in paradiso. Ecco perché abbiamo bisogno della discriminazione.

Se useremo la discriminazione insieme all'intelligenza, utilizzeremo le capacità umane per promuovere armonia e bontà d'animo tra tutti, compiendo quelle azioni piene d'amore, compassione e altruismo che aiuteranno non solo il mondo, ma anche gli individui che compiranno tali azioni. Infatti, quando compiamo buone azioni usando discriminazione, la nostra mente diventa pura e vasta.

Amma afferma che sebbene gli esseri umani abbiano raggiunto un grande potere, vi sono molte cose che non sono sotto il loro controllo. Non possiamo decidere dove nascere, ad esempio, o quali talenti e capacità possedere, o scegliere i nostri genitori: se così fosse, questo mondo sarebbe un luogo molto diverso. Poiché non abbiamo alcuna capacità decisionale in questi casi, veniamo a questo mondo con talenti e capacità diversi, ma anche con un certo numero di debolezze e difetti; stando così le cose, per avere successo nella vita, dobbiamo focalizzarci sulle nostre forze ma contemporaneamente riconoscere le nostre debolezze. Sfortunatamente, la maggior parte delle persone fa l'opposto, concentrandosi sulle debolezze senza riconoscere le forze e i talenti, lasciando così questo mondo con meravigliosi tesori ancora nascosti dentro loro stessi. Gli psicologi affermano che gli esseri umani usano soltanto 10-12 per cento del loro potenziale e che perfino Einstein usò solo il 25 per cento della sua capacità intellettuale. Se ciò è vero, significa che tutti abbiamo all'interno di noi stessi un grande potenziale non sfruttato che potremmo utilizzare di più, usando la nostra capacità di discriminazione e trasformando le nostre debolezze in forza.

Negli Stati Uniti, una donna perse suo figlio per colpa di un automobilista ubriaco; avrebbe potuto benissimo consumarsi di odio per l'uomo che lo aveva ucciso, ma, anziché combattere contro l'automobilista ubriaco, scelse di combattere contro la guida in stato di ubriachezza. Con un gruppo di donne fondò nel 1980 in California il MADD (Mothers Against Drunk Driving, Madri contro la guida in stato di ubriachezza), che oggi conta 600 sedi in tutta la nazione e il cui attivismo ha aperto la strada ad una legislazione contro la guida in stato di ubriachezza che, come risultato, ha fortemente ridotto la percentuale degli automobilisti ubriachi negli Stati Uniti. Che cosa avrebbe ottenuto questa donna dalla mera rabbia contro un individuo? Al contrario, ricorrendo alla sua discriminazione, è stata in grado di incanalare la collera in qualcosa che ha realmente portato beneficio alla società.

Un caso simile accadde in India, in un villaggio rurale abitato da un gruppo tribale. A causa di una grande povertà, molti non avevano case decorose, ed alcune erano addirittura senza porte. Una notte, un vagabondo penetrò in una delle case e cercò di violentare una donna che dormiva: lei riuscì a cacciarlo, ma difendendosi rimase gravemente ferita nello scontro. Mentre si stava rimettendo dalle lesioni, la vittima bruciava di rabbia, tuttavia, anziché cercare di vendicarsi di quell'uomo, usò la sua animosità in modo creativo. Portò davanti al governo locale i membri della sua tribù, per protestare sulle loro condizioni di vita, affinché nessun altro dovesse soffrire la sua stessa sorte. Alla fine, il governo accettò di costruire case adeguate e sicure per tutta la tribù e creò un corpo speciale di polizia per controllare l'area.

Nel discorso che fece nel 2002 all'Iniziativa per la Pace nel Mondo delle Donne Leader Spirituali e Religiose, Amma raccontò la storia vera di una donna il cui marito era stato ucciso in un attacco terrorista. Suo figlio, che era ancora piccolo quando perse il padre, giurò che un giorno l'avrebbe vendicato. Più tardi, confidò alla madre di aver pianificato di unirsi ad un gruppo terrorista rivale per vendicarsi su quelli che avevano ucciso il padre, ma lei lo sconsigliò vivamente dicendo: "Figlio, guarda il doloroso stato della nostra famiglia e quanto sia difficile far quadrare il bilancio senza tuo padre. E guarda te stesso e la tua tristezza per essere cresciuto senza conoscere il suo amore. Quando vedi gli altri padri che vengono a prendere i loro figli a scuola, non ti senti triste, e non desideri forse avere un padre anche tu? Vendicandoti di coloro che lo hanno ucciso, cos'altro otterrai se non maggiore sofferenza e dolore? Vuoi che ci siano altri volti tristi nella società? Quello per cui dovremmo veramente lottare, la sola via per avere pace per noi stessi e gli altri, è sviluppare l'amore e la gentilezza. Quindi, figlio mio, usa la tua discriminazione e agisci in base a ciò che consideri giusto". Il ragazzo conservò nel cuore le parole di sua madre e rifiutò di aggregarsi ad un qualsiasi gruppo terrorista, anche quando cercarono di reclutarlo. Anni dopo, quando incontrò Amma, egli Le offrì una preghiera: "Ti prego, dona la giusta comprensione ai terroristi che sono così pieni di odio e violenza e riempi di perdono i cuori di coloro che hanno affrontato molte atrocità e hanno sofferto così intensamente. Altrimenti, la situazione non potrà che peggiorare e non ci sarà fine alla violenza".

Amma dice che l'antidoto che può salvare vite umane è in realtà estratto dallo stesso veleno che è nel morso di un serpente; similmente, agendo con discriminazione e buone intenzioni, le nostre emozioni negative e debolezze possono essere trasformate in forza.

D'altro canto, se non agiamo con discriminazione, anche la nostra forza e i talenti potranno trasformarsi in debolezze. Ad esempio, ci sono molti col dono della parola che consente loro di eccellere nelle vendite, i quali, però, se parlano troppo, fanno scappare il cliente invece di convincerlo a comprare il prodotto. La loro abilità nel parlare può essere usata per vendere un prodotto, ma se esagerano, possono dissuadere il cliente dall'acquisto: la loro abilità di parola diventa così una debolezza. Ho sentito una storiella a questo proposito. Durante la Rivoluzione Francese, tre uomini erano scortati alla ghigliottina e un prete li accompagnava per amministrare loro l'Estrema Unzione. Al primo uomo venne detto di porre la testa sul ceppo, ma, quando la lama fu rilasciata rimase bloccata dov'era e non gli cadde sul collo. Il prete lo considerò come un segno e lasciò libero l'uomo, asserendo che Dio aveva perdonato i suoi peccati. La stessa cosa accadde anche al secondo. Il terzo uomo, che era un ingegnere, quando fu portato alla ghigliottina guardò in alto ed esclamò: "Ah, ecco il problema!" e spiegò come ripararlo. La ghigliottina fu prontamente sistemata e lui perse la testa: aveva usato i suoi talenti ma senza discriminazione.

È necessario usare la discriminazione quando scegliamo i valori con cui vivere, altrimenti anche i migliori oggetti e opportunità diventeranno inutili e ci condurranno alla miseria. Molti lettori avranno sentito la frase "Il tocco di Mida", che si rifà al mito Greco del Re Mida, la cui più grande ambizione era di accumulare ricchezza, e che ancora oggi indica la capacità di ottenere molto denaro con uno sforzo apparentemente molto piccolo. Un giorno gli apparve una dea e gli offrì il favore di chiederle qualsiasi cosa volesse. Il re era felicissimo, e chiese alla dea di poter trasformare in oro tutto ciò che toccava. In preda ad una grande avidità, non prestò attenzione alle parole della dea che lo mettevano in guardia sulle conseguenze della sua richiesta, ma insistette per vederla esaudita. Alla fine, la dea lo benedì realizzando il suo desiderio: da quel momento in poi, qualunque cosa il re avesse toccato, si sarebbe trasformata in oro.

Non ci volle molto, però, perché il re cominciasse ad incontrare le prime difficoltà: quando sedette per la colazione, tutto il cibo che toccò si trasformò in oro e, non potendo mangiare una ciotola di cereali d'oro, chiamò sua figlia ad aiutarlo. Ella arrivò di corsa nella sua stanza ed egli l'abbracciò amorevolmente, trasformandola immediatamente in una statua d'oro. Il re, sciocato e agitato, cominciò a piangere rumorosamente e invocare ad alta voce la dea che gli aveva concesso quel favore. La dea apparve davanti a lui e gli chiese se fosse felice con il suo tocco d'oro; il re la scongiurò di riprenderselo e di riportare in vita la figlia.

Questa storia dimostra che valori distorti conducono alla tragedia e che, talvolta, non ottenere quello che vogliamo è un dono più grande dell'ottenerlo. La discriminazione ci aiuta a coltivare valori positivi e questi, a loro volta, renderanno la nostra vita piena di pace e utile per noi e gli altri.

Una devota di Amma mi ha raccontato una bella storia. Prima di incontrare Amma, era solita trascorrere del tempo in un altro ashram. Una notte arrivò che era molto tardi e, quando entrò nel dormitorio assegnatole, accese la luce per trovare il letto, ma, non appena la stanza si illuminò, udì una voce arrabbiata proveniente dall'altra parte della stanza che diceva: "Spegni quella luce!".

La donna spense timidamente la luce, trovò il suo letto scivolando tentoni lungo il muro e lo preparò nell'oscurità. Poco tempo dopo, arrivò un'altra nuova ospite, che entrando, accese la luce e, ancora, la voce arrabbiata esclamò: " Spegni la luce!". Nel breve attimo in cui la stanza rimase illuminata, la prima donna ebbe modo di vedere che la nuova arrivata era giapponese e che portava un bollino arancione, indicante la sua prima visita all'ashram.

Sebbene fosse molto stanca, la prima donna pensò che l'ultima venuta era ancora più esausta e disorientata di lei, perciò si alzò e andò a salutarla, inchinandosi nello stile tradizionale giapponese, poi prese le lenzuola dalle sue mani e cominciò a prepararle il letto; infine s'inchinò di nuovo davanti alla nuova arrivata, che fu piena di gratitudine, e ritornò al suo letto. Ma prima che riuscisse a prendere sonno, la porta del dormitorio si aprì di nuovo e, ancora, la luce venne accesa. Puntuale come un orologio, arrivò il comando: "Spegni la luce!". La prima donna si stava preparando ad alzarsi un'altra volta dal letto, quando vide la devota giapponese alzarsi e salutare la terza arrivata inchinandosi davanti a lei, prendere le lenzuola dalle sue mani e prepararle il letto, poiché aveva supposto che quella fosse la consuetudine dell'ashram.

Questa storia insegna che noi impariamo dall'esempio, ma che possiamo usare la nostra discriminazione per scegliere quali esempi seguire e quali ignorare. La donna giapponese avrebbe potuto facilmente decidere di seguire l'esempio di dare il comando di spegnere la luce, ma, più saggiamente, e con più discriminazione, scelse di seguire quello più altruistico della donna che le aveva offerto un aiuto.

Ricordo un'altra storia che illustra il reale valore della discriminazione. Ricorderete il devastante terremoto che distrusse lo stato indiano del Gujarat nel gennaio 2001 e in seguito al quale migliaia di persone rimasero uccise e un numero ancora maggiore ferite; molti persero i loro cari e le case insieme alle speranze e ai sogni. L'ashram di Amma adottò e ricostruì interamente tre villaggi tra i più colpiti e Amma, ultimata la riedificazione, si recò di persona a visitare la zona e ad incontrare gli abitanti dei villaggi. Un uomo Le confidò che, sebbene nel terremoto avesse perduto tutta la sua famiglia e ogni bene, era più determinato che mai a diventare un uomo d'affari di successo. Un altro uomo, che prima del terremoto era stato un commerciante – pur avendo incontrato una sorte simile all'altro – disse ad Amma che il disastro gli aveva rivelato la volubile natura dei possedimenti e degli attaccamenti terreni, e che il solo desiderio rimastogli era quello di fondersi in Dio. Entrambi gli uomini avevano sperimentato lo stesso destino, eppure il primo continuava ad investire tutti i suoi sforzi per ottenere una felicità terrena che poteva scomparire

126

in ogni momento, l'altro, invece, era stato capace di usare la sua discriminazione per cercare una pace e una felicità permanenti.

Il primo capitolo della *Bhagavad Gita* è intitolato *"Arjuna Vishada Yoda"*, "Lo Yoga dell'angoscia di Arjuna". Ci si può chiedere come possa il dolore diventare *yoga* (il processo di unificazione con Dio). Se i genitori perdono un figlio, possono reagire in un solo modo su due: o pensando di aver perduto tutto e di non poter andare avanti in nessun modo, oppure riflettendo sulla verità della natura mutevole del mondo. Possono chiedersi: "Che significato ha tutto questo? Pensavo che mio figlio sarebbe vissuto a lungo e mi avrebbe dato tanta felicità e invece ora se n'è andato. Ciò che credevo eterno ha dimostrato di avere una vita davvero molto breve e, quindi, riponendo le mie speranze in cose così passeggere, sarò condannato alla disperazione. Voglio dipendere da qualcosa di permanente che non possa tradirmi mai". Meditando in questo modo, potremo rivolgerci a Dio, trasformando ogni esperienza dolorosa in un mezzo che ci avvicini a Dio.

Le Scritture induiste ci dicono che per ciascuno di noi vi sono due sentieri disponibili: il primo, chiamato *preyo marga*, sentiero delle felicità materiali, come ricchezza, potere fama, eccetera – ciclo senza fine che ci tiene eternamente schiavi del *samsara* (il ciclo di nascita e morte) – e il secondo chiamato *sreyo marga*, ricerca della felicità più alta, cioè la conoscenza del nostro Sé Divino. Questo sentiero ci condurrà oltre il ciclo di nascita e morte verso la libertà eterna.

Questo non vuol dire che per inseguire la felicità ultima saremo tenuti a non avere alcuna proprietà materiale, ma che dovremo avere quella consapevolezza dei limiti degli oggetti del mondo che ci spingerà nella direzione di ciò che è senza limiti: Dio, la nostra vera natura.

Per ricordarci che non portiamo niente con noi quando veniamo in questo mondo, né ci portiamo via qualcosa quando lo

lasciamo, Amma ci racconta spesso la storia della morte dell'Imperatore Greco Alessandro Magno.

Come sapete, Alessandro era un grande guerriero e sovrano che aveva conquistato quasi un terzo del mondo allora conosciuto. Egli desiderava diventare l'imperatore del mondo intero, ma fu colpito da una malattia terminale. Alcuni giorni prima della fine, Alessandro chiamò i suoi ministri e spiegò loro come voleva che si svolgessero le esequie: bisognava fare delle aperture su entrambi i lati della bara, per consentire alle sue mani di sporgere con i palmi aperti. I ministri gli chiesero la ragione di questa scelta.

Alessandro, allora, spiegò che in questo modo tutti avrebbero potuto vedere che il grande Alessandro che aveva combattuto tutta la vita per conquistare e possedere il mondo, lo aveva lasciato con le mani completamente vuote e avrebbero compreso quanto fosse futile passare la vita inseguendo il mondo e i suoi oggetti.

Discriminazione significa aver la capacità di distinguere ciò che è eterno da ciò che è impermanente, per concentrarsi solo sul permanente e cercare di raggiungerlo. In senso spirituale soltanto Dio, o Atman, è eterno e ogni altra cosa è impermanente. Le Scritture dicono: "L'Atman era nel passato, è qui ora, e sarà nel futuro" e questa è la ragione per cui l'Atman è chiamato anche Verità. Secondo le Scritture induiste, solo ciò che esiste – senza crescere, decadere, o mutare – nei tre periodi di tempo (passato, presente e futuro) può essere chiamato Verità. Se qualcuno o qualcosa nella vostra vita corrisponde a questa descrizione, potrà essere definito Verità. In caso contrario non si può parlare di pura Verità. Quando usiamo *viveka*, discriminazione, compendiamo che nulla – si tratti di oggetti, persone o luoghi – può superare questo esame e scopriremo che molte delle cose che abbiamo trattenuto o cercato di avere, non valevano la pena.

Amma vuole che comprendiamo il carattere impermanente del mondo e dei suoi oggetti, la loro natura temporanea e il fatto che essi non possono venire con noi dopo la morte. Vediamo quindi che il valore della discriminazione è molto importante, perché ci consente di trasformare le nostre debolezze in forza creativa, e di usare le nostre energie nel modo più efficace. Ciò ci aiuterà ad avere successo nella vita in tutti i nostri sforzi, inclusi quelli fatti per raggiungere il successo più alto, la realizzazione del Sé.

Capitolo 17

Dalla discriminazione al distacco

Esercitando il nostro viveka nel modo giusto vedremo sorgere in noi vairagya, cioè il distacco da tutto quello che non è vero, impermanente. Quando comprenderemo che le persone e gli oggetti della nostra vita non sono Verità, diventeremo automaticamente distaccati da essi, nel senso che non ci aspetteremo più nulla da loro, pur continuando ad amarli e ad averne cura. In ogni relazione normale, l'amore che nutriamo per un'altra persona dipende moltissimo da ciò che otteniamo da lei e, se non ricaviamo quello che vogliamo, il nostro amore diminuisce. Citando l'esempio fatto da Amma, avremo cura di una mucca finché continuerà a darci il latte, ma quando smetterà, non esiteremo a venderla, anche ad un macellaio, perché questa è la natura dell'amore ordinario, mondano.

Ma quando il distacco albeggerà in noi, l'amore che sentiremo per gli altri non dipenderà più da quello che possiamo ottenere da loro: li ameremo infatti per il gusto di amarli. Il distacco si applica anche agli oggetti e ai possedimenti, infatti tramite esso sapremo fare il miglior uso di quello che abbiamo a disposizione, senza essere in alcun modo turbati se perdiamo qualcosa o non ci riesce d'ottenerla.

C'è una storia su Aristotele, il quale una volta disse al suo discepolo Alessandro Magno: "Se mai andrai in India, riporta uno *yogi* in Grecia con te". Molti anni dopo, mentre si trovava sull'Himalaya, Alessandro incontrò uno yogi che sedeva per terra e, ricordando la richiesta del suo maestro, gli si avvicinò e disse: "Se verrai con me, ti renderò più ricco di un re, potrai avere un palazzo tutto tuo e tutti i servi che vorrai per esaudire qualsiasi desiderio".

Dopo aver ascoltato l'offerta di Alessandro, lo yogi educatamente rifiutò, dicendo: "Non c'è nulla in questo mondo che io voglia o desideri, ma se proprio vuole aiutarmi, per favore, si sposti lateralmente di due passi, così che possa godermi i raggi del sole". Lo yogi era completamente distaccato dagli oggetti del mondo e perciò non gli importava di stare seduto in una caverna o in un palazzo, poiché era appagato dalla sua beatitudine interiore.

Possiamo pensare che il distacco sia cosa facile per uno yogi che vive sull'Himalaya, ma che sia impossibile per noi, oberati da tante responsabilità e possedimenti. Eppure, guardate Amma: Ella ha molte più responsabilità di noi e, pur prendendosene cura con la massima sollecitudine e interesse, ne è completamente distaccata. Una volta, qualcuno fece notare ad Amma: "Come ti senti con tante istituzioni e ashram?".

Amma rispose: "Anche se la nocciola è dentro al guscio, non è attaccata ad esso e, come un serpente muta la sua pelle, Amma può rinunciare a tutte queste cose in ogni momento perché non è attaccata a niente".

La vita è un alternarsi di conquiste e perdite, nulla rimane con noi per sempre: persone e cose un bel giorno ci lasceranno o le lasceremo noi – fosse anche solo al momento della morte. Se saremo capaci di vivere con distacco, la nostra mente sarà relativamente calma e le nostre pratiche spirituali non saranno influenzate dalle difficoltà e dalle crisi della vita giacché, infatti, è solo l'attaccamento agli oggetti a causarci sofferenza. Supponiamo, ad esempio, che qualcuno danneggi l'auto dei nostri vicini: pur simpatizzando con loro, molto probabilmente non sentiremo rabbia o agitazione, ma se la stessa cosa accadesse a noi, ne saremmo molto turbati; se poi l'attaccamento alla nostra auto fosse molto grande, potremo addirittura arrivare al punto di arrabbiarci con Dio, rimproverandolo di aver acconsentito che una simile cosa accadesse proprio a noi. La quantità di sofferenza che sperimentiamo quando qualcosa cambia o va perduta è direttamente proporzionale al nostro livello di attaccamento a quella cosa.

C'era una volta un uomo così avaro da essere capace di raccogliere una monetina anche se si trovava in una fognatura. Un giorno, un vicino gli telefonò sul posto di lavoro per dirgli che la sua casa era stata distrutta da un incendio ma, prima di comunicargli la notizia, gli chiese di sedersi, convinto che sarebbe svenuto nell'apprendere la grave perdita. La sua sorpresa fu grande quando come risposta udì una risata e, pensando che l'avaro avesse perduto la ragione in seguito a una tale scioccante notizia, gli chiese: "Perché ridi? Sei forse impazzito?".

L'avaro rispose: "No, ho venduto la casa tre giorni fa!".

Quell'uomo era in grado di ridere della notizia perché la casa non gli apparteneva più, ma se avesse appreso la stessa cosa quattro giorni prima, avrebbe avuto proprio la reazione che il vicino si aspettava da lui. Questa è la libertà che ci dà il distacco – sentire che gli oggetti del mondo non ci appartengono. Non sentiamo attaccamento verso questi oggetti o persone e non restiamo turbati quando essi cambiano o ci lasciano.

C'era una volta un giovane pastore che portava ogni giorno le mucche a pascolare nei campi dove era solito legarle a qualche albero o palo affinché si riposassero, quando avevano finito di pascolare. Poi, quando il sole calava, slegava le corde e così le mucche cominciavano a camminare verso casa. Un giorno, dopo che le mucche avevano finito di pascolare, le portò nel solito posto per farle riposare, ma non si preoccupò di legarle perché sapeva che si trattava di creature abitudinarie che non sarebbero andate da nessuna parte.

Quando nel pomeriggio tornò, cercò inutilmente di convincere le mucche a ritornare a casa, ma, per quanto si sforzasse, esse non vollero muoversi. Alcune erano sdraiate e si alzarono, ma nessuna si mosse. Il ragazzo era un mandriano molto intelligente, così comprese subito cos'era successo: si avvicinò ad alcuni alberi e finse di slegare le corde, anche se quel giorno non aveva legato le mucche agli alberi e non c'era alcuna corda da slegare! Le mucche ignoravano infatti di non essere state legate e pensavano: "Finché non ci slega, come possiamo andarcene?". Dopo che il ragazzo fece finta di slegare le corde, le mucche cominciarono subito a camminare.

In modo analogo, i nostri attaccamenti sono a livello della mente. Quando affermo di essere attaccato alla mia TV, non significa che una corda mi lega alla TV, ma che tutti i miei attaccamenti – siano essi rappresentati da TV, casa, auto, genitori o amici – sono proiezioni mentali e possono essere superati con una forte decisione mentale. Amma dice: "Le cose restano con voi solo per un breve periodo, appartenevano a qualcun altro prima che voi foste qui e apparterranno a qualcun altro ancora quando ve ne sarete andati. Se fossero davvero vostre proprietà, restebbero con voi per sempre. In verità, nulla vi appartiene veramente".

Sapendo che un bel giorno tutto ci lascerà, possiamo pensare di essere soltanto dei custodi temporanei di tutte le nostre proprietà assegnateci da Dio e così non saremo molto turbati quando un oggetto o una persona sparirà. Poiché tutto appartiene a Dio, comprenderemo che Egli può riprendersi cose o persone quando vuole. Il problema sorge solo quando pensiamo: "Questo è mio", perché tale senso del possesso è una delle principali cause del nostro dolore.

In realtà, non siamo attaccati a nulla. Le Scritture affermano: "Ogni cosa appartiene all'Atman, ma l'Atman non appartiene a nulla e nessuno, è sempre libero – e voi siete l'Atman".

Capitolo 18

Comprendere la natura del mondo

P er evitare la delusione nelle varie situazioni che incontriamo, dobbiamo essere preparati ad ogni possibile risultato. Amma ci fa un esempio molto pratico: toccando una fiamma con un dito, ci bruciamo, ma non ci arrabbiamo col fuoco, né lo odiamo, e la volta successiva che avremo a che fare con il fuoco saremo preparati e non lo toccheremo direttamente per evitare di bruciarci di nuovo. Lo stesso fuoco, proprio quello che ci ha scottato una volta, può ora essere usato a nostro beneficio perché abbiamo modificato il nostro modo di rapportarci ad esso. In modo simile, tutti noi conosciamo la natura del mondo e quindi, quando le cose non vanno come vogliamo, dobbiamo mutare il nostro modo di rapportarci ad esso.

Anni fa eravamo tutti molto tristi perché alcune persone avevano lasciato l'ashram, ma Amma non lo era. Spiegò: "Non mi aspetto che tutti stiano con me fino alla morte, chiunque può andarsene quando vuole. Non pretendo niente e, anche se tutti gli swami lasciassero l'ashram, io continuerei a fare quello che devo fare".

Amma vive nello stesso mondo in cui viviamo noi, ma noi ci rapportiamo al mondo in un modo diverso da Amma. Per essere felici e sempre in pace, non abbiamo altra scelta che cambiare il nostro modo di riferirci ad esso.

Una città era carica di problemi a causa di una crescente infestazione di ratti. I cittadini protestavano contro l'incapacità del governo locale di controllare il problema. Cedendo alla pressione degli elettori, il sindaco varò un nuovo progetto chiamato "Eliminazione dei ratti", ma, dopo alcuni mesi di intensi sforzi, capì che non si trattava di un lavoretto facile. Frustrati per la mancanza di progressi, i cittadini ripresero le proteste e allora, sperando di ridimensionare le loro aspettative, il sindaco rinominò il progetto: "Diminuzione dei ratti", ma scoprì ben presto che il controllare i topi era impossibile tanto quanto lo era sterminarli. La gente scese di nuovo per le strade e il disperato sindaco annunciò il suo nuovo piano: "Convivenza coi ratti".

Nello stesso modo, non è possibile eliminare tutti i problemi del mondo e nella nostra vita: dobbiamo imparare ad accettare quelli che non possiamo controllare in nessun modo.

Un uomo che aveva avuto molte difficoltà andò da un astrologo vedico per conoscere il futuro. L'astrologo gli disse: "Oh, sta passando un periodo molto difficile a causa dell'influenza di Rahu già da quindici anni e gliene rimangono ancora tre. Andrà avanti così, con molte difficoltà".

"E che cosa accadrà dopo?".

L'astrologo gli lanciò un'occhiata comprensiva. "Poi sarà sotto l'influenza di Giove per 12 anni e, anche se per la maggior parte delle persone questo rappresenta un miglioramento, nel suo caso Giove ha una brutta posizione nel tema natale e potrà crearle ancora dei problemi".

"E dopo Giove?".

"Dopo Giove, sarà sotto l'influsso di Saturno per 19 anni e potrà avere dei problemi anche maggiori di prima".

L'uomo disse: "E dopo? I miei problemi finalmente finiranno?".

L'astrologo rispose: "Dopo, per lei i suoi problemi non saranno più problemi … sarà ormai abituato a ogni tipo di problema!".

Amma afferma che in momenti di crisi e frustrazione dovremmo cercare di concentrarci sulla nostra fortuna anziché sulle nostre difficoltà, visto che ci saranno sempre molte cose per le quali essere grati a Dio. Amma dice che siamo così impegnati a lamentarci di ciò che non abbiamo, che perdiamo di vista le buone cose che già possediamo.

Quando la notte andiamo a dormire, che cosa ci garantisce che ci risveglieremo il mattino seguente? Non sappiamo neppure quello che accadrà il momento successivo: la vita umana è così fragile e in qualunque momento può accadere qualunque cosa. Nel 2001 in Gujarat, tutto era tranquillo fino a pochi istanti prima del devastante terremoto, ma cinque minuti dopo molte case, speranze e vite erano distrutte. La nostra esistenza è così, veramente fragile. Se un determinato legamento si lacerasse, in un secondo non saresti più in grado di sollevare il braccio.

Che cosa possiamo fare in un mondo simile? Dovremmo cercare di essere felici con quello che abbiamo. Naturalmente non c'è nulla di sbagliato nella ricerca di qualcosa di più: non è garantito che la otterremo, ma se ci riusciamo, cerchiamo almeno di essere grati a Dio. Dovremmo nutrire riconoscenza anche soltanto per esserci svegliati al mattino, comprendendo che ogni giorno, ogni momento della nostra vita, è una benedizione che proviene da Lui.

Ricordo una storia. Un giorno, tutti gli insetti si recarono al cospetto di Dio per esprimerGli le loro lagnanze circa la vita sulla terra. Le zanzare Gli spiegarono: "Signore, ci hai fornito di proboscide per pungere e succhiare il sangue degli esseri umani, hai creato esseri umani fatti di carne ricca di sangue e ci hai donato un piccolo corpo e ali che ci consentono di volar via quando si presenta un pericolo. Sei stato così generoso e gentile con noi, ma c'è un problema: perché hai creato il nostro nemico, il vento? Ogniqualvolta stiamo per gioire del nostro sostanzioso pasto, il vento soffia e, per aver salva la vita, dobbiamo volare via. Perché allora non elimini il vento dalla terra?".

Il Signore disse: "Figli miei, Mi siete tutti cari e perciò non posso prendere una decisione sul caso senza la presenza dell'accusato, portateMi qui il vento e deciderò". Le zanzare, però, sapevano che, se fosse arrivato il vento, sarebbero dovute sparire e perciò, invece di andare a portargli l'invito, si rivolsero a qualche altro loro amico. Le zanzare dissero agli altri insetti: "Cari fratelli e sorelle, voi siete tutti felici, bevete il sangue umano con soddisfazione, il nostro caso, invece, è penoso perché quando il vento si avvicina, dobbiamo fuggire. Avete qualche consiglio o qualche dritta per noi?".

Un insetto rispose: "Voi pensate che noi ce la passiamo bene, ma considerate la nostra situazione di cimici del letto che non hanno ali per volare come voi. Vogliamo chiedere al Signore di darci delle ali per volare, oppure di creare esseri umani privi di occhi, perché, anche se ci nascondiamo nell'angolo del letto, gli umani ci trovano comunque prima o poi e ci schiacciano o ci uccidono con l'insetticida".

Intervenne allora una mosca parassita dicendo: "Le nostre sofferenze sono indescrivibili. Ci posiamo su di un essere umano per berne il sangue, quello ci dà un tremendo schiaffone e noi siamo finite, stecchite. Spesso, non so come, riusciamo a scappare, ma poi dobbiamo soffrire la fame per molti giorni e anche se siamo assetate di sangue non ne troviamo una sola goccia. Per questo vogliamo pregare Dio di creare esseri umani senza mani".

Il Signore ascoltò molto pazientemente le loro lamentele ma rimase silenzioso: che cosa avrebbe potuto dire? Perfino Dio non può prendere decisioni in simili casi e conoscendo la natura del creato, dovette restare in silenzio. Potete immaginare le condizioni degli esseri umani se fossero esauditi i desideri di tutte le zanzare, le cimici e le mosche?

Amma dice che non tutte le difficoltà possono essere rimosse. Che lo vogliamo o no, siamo venuti a questo mondo e la cosa migliore da fare è cercare di comprendere la sua natura. Questa comprensione, unita alla fede in Dio o in un Satguru come Amma, ci darà la forza per affrontare i nostri problemi da una prospettiva positiva.

I problemi esistono principalmente a causa della nostra mente; infatti si dice che solo la mente sia la causa della liberazione e della schiavitù, della sofferenza e della felicità.

La maggior parte delle informazioni non sono essenziali alla nostra esistenza: non saremo infelici solo perché ignoriamo la matematica. In modo analogo, se vogliamo studiare botanica, potremo farlo, ma il non studiarla non avrà comunque un effetto negativo sulla nostra vita. Vi sono molti botanici e matematici infelici: ma tutti, per vivere in modo felice e pacifico dovrebbero studiare i princìpi spirituali. Per tale ragione nell'antica tradizione indiana gli studi spirituali costituivano un importante aspetto dell'educazione, mentre ai nostri giorni le Scritture sono considerate superate. Pensiamo che per avere successo nella vita non ci serva sapere nulla di spirituale, quando, al contrario, oggi più che mai, avremmo bisogno di una comprensione spirituale visto che, come diretto risultato della sua assenza, i nostri valori morali ed etici sono precipitati drammaticamente. Questa mancanza di valori sta creando problemi sociali e individuali impensabili fino a poco tempo fa. La mancanza di comprensione dei princìpi spirituali ci renderà infelici e depressi e impedirà l'armonia nella società.

Attenersi saldamente ai princìpi essenziali della spiritualità ci darà forza, non fisica, ma emotiva. Potremmo essere fisicamente molto forti, infatti, addirittura forti come Ercole, ma questa forza fisica non ci sarà di grande aiuto quando dovremo affrontare i problemi della vita, poiché solo la nostra forza emotiva ci potrà aiutare efficacemente nella maggior parte dei momenti di crisi – ed essa sorge soltanto da una reale comprensione della natura del mondo.

Amma afferma: "Nutrendo il corpo con cibo-spazzatura, avremo un corpo malato e nello stesso identico modo, nutrendo la mente con pensieri negativi, avremo una mente malata. Proprio come il nostro corpo ha bisogno ogni giorno di buon cibo, anche la mente necessita di pensieri spirituali positivi per diventare forte e sana".

Questo non significa che le conoscenze spirituali da sole siano sufficienti. Molti di noi hanno già un grande bagaglio di nozioni spirituali, che non ci daranno beneficio finché resteranno mere informazioni: soltanto la messa in pratica della nostra conoscenza ci sarà di vero aiuto.

Se mangiamo, ma il cibo non viene digerito, come potremo ricavarne nutrimento? Non è il cibo che mangiamo ma quello che digeriamo che ci dà forza. Analogamente potremo anche leggere molti libri spirituali e ascoltare molti *satsang* (discorsi spirituali), ma non ne trarremo alcun beneficio se non saremo capaci di mettere in pratica tali insegnamenti.

Ecco perché Amma sottolinea sempre l'importanza delle pratiche spirituali e dell'assimilazione dei princìpi spirituali nella vita quotidiana: se abbiamo il giusto atteggiamento nei confronti della vita, le situazioni difficili che affronteremo ci potranno aiutare a fortificare la mente che è come un muscolo che si espande o contrae, secondo quanto esercizio facciamo.

Le Scritture dicono: "*Panditaha na anusochanthi*", "I saggi non si affliggono", indicandoci che la saggezza è la sola soluzione al dolore. Saggezza è *jnana*, vale a dire la conoscenza che "Io non sono il corpo, la mente, l'intelletto o l'ego, ma sono tutt'uno con la Coscienza Suprema". Soltanto coloro che sono stabiliti in questa saggezza possono evitare la sofferenza.

Più grande sarà la profondità della nostra assimilazione e comprensione della Verità, minore sarà il fardello di dolore che porteremo. Realizzando la nostra unità con la Coscienza Divina, ogni sofferenza sparirà e, anche l'avere dei problemi non sarà un problema per noi.

La felicità delle persone che hanno realizzato il Sé, a differenza della nostra, non dipende da nessuna condizione. La felicità, l'appagamento e la pace mentale di Amma non dipendono da nulla al mondo, sono incondizionati, ma la nostra situazione è ben diversa, non è vero? La nostra pace mentale deriva da molte cose del mondo, così da essere felici se certe condizioni si realizzano, ma infelici se ciò non accade. Pensiamo che saremo veramente appagati soltanto grazie a un buon lavoro, a una bella famiglia, o solo se ci sposeremo. Naturalmente, tutte queste cose sono necessarie per noi, anche se non c'è garanzia che ci renderanno felici per sempre.

Amma spiega che molte persone pensano che solo sposandosi potranno sentirsi complete, ma in seguito aggiungono: "Ora che sono sposato, sono finito". Analizzandolo da vicino, vedremo che l'approccio alla vita che ci spinge a puntare le nostre speranze nella realizzazione di qualche scopo, oggetto o persona esterni a noi non ci renderà mai veramente felici e appagati.

Soltanto la scienza della spiritualità può aiutarci in questo senso. Infatti, una persona educata spiritualmente possiede una corazza di conoscenza che impedisce agli alti e bassi della vita di lasciare segni negativi. Se paragoniamo la vita ad un campo di battaglia, allora la conoscenza spirituale può essere considerata l'armatura che ci proteggerà dall'essere feriti: diverse armi potranno colpirci ma non la trapasseranno, lasciandoci uscire illesi dagli assalti. In modo simile, possono presentarsi dei problemi anche nella vita di un Satguru, addirittura maggiori dei vostri e dei miei. Per noi potrebbe già essere abbastanza prenderci cura di una piccola famiglia, ma pensate ad Amma che deve occuparsi di migliaia, forse milioni di famiglie. Molti devoti vogliono che Amma trovi uno sposo per la loro figlia, che metta fine ad una disputa familiare, o a un problema sorto fra marito e moglie. Molte volte, Amma fa in modo che i desideri dei devoti siano soddisfatti anche senza che essi Le chiedano verbalmente qualcosa.

Quando mia sorella più giovane raggiunse l'età da marito, Amma trovò un ragazzo adatto a lei e poi celebrò il matrimonio. Un giorno, Amma mi chiamò in Australia dove stavo tenendo un programma e disse: "Amma ha organizzato il matrimonio di tua sorella che si svolgerà all'ashram nel tal giorno". Io non mi preoccupavo assolutamente dei membri della mia famiglia, né avevo dedicato un solo pensiero al fatto che mia sorella dovesse trovare un marito. Si occupò Amma di tutto questo. Questo è solo un esempio di come, in modo simile, Ella si prenda cura di migliaia di famiglie in tutto il mondo.

Vediamo quindi che un Satguru ha molte più responsabilità di noi, ma non è mai sopraffatto o stressato dalle responsabilità, perché ha la corretta comprensione della vita. Soltanto questa saggezza spirituale darà una soluzione permanente ai nostri problemi, attraverso la determinazione di risolvere ogni difficoltà che può essere risolta e la forza di accettare con equanimità quelle che non possono trovare soluzione. Sta a noi scegliere se studiare matematica, botanica, o qualunque altra materia, ma se vogliamo essere veramente felici, non abbiamo altra scelta che raggiungere una saggezza spirituale.

Le Scritture dicono:

kasya sukham na karōthi viragaḥ

Chi non sarà felice, se possiede il distacco?

Se analizziamo attentamente la nostra vita, ci accorgeremo che molti degli oggetti, per raggiungere i quali abbiamo speso tanto tempo, ci hanno dato più infelicità che felicità e che, nel mondo, per ottenere anche la minima gioia, dobbiamo fare un grande sforzo.

Supponiamo di voler comprare una costosa auto sportiva poiché pensiamo che saremo davvero felici solo quando sarà nostra. In primo luogo, dovremo lavorare sodo per guadagnare il denaro e, dopo averla acquistata, lavorare ancora duramente per mantenerla. Dopo un po' di tempo, comincerà a rompersi e, alla fine, i costi delle riparazioni saranno più elevati del prezzo stesso dell'auto, oppure, prima che accada, potrebbe anche andare distrutta in un incidente. Possiamo perciò chiederci se sia valsa veramente la pena di possedere l'automobile, paragonando la felicità e la soddisfazione che abbiamo ricavato ai molti problemi che ci ha realmente dato. Eppure continueremo di sicuro ad inseguire tali oggetti terreni, pur avendo compreso che ciò comporta più problemi che felicità, a causa dell'incapacità di superare la nostra attrazione per essi. Ancora prima che la nostra auto ormai distrutta venga trascinata via, staremo già pensando al nuovo modello da acquistare.

È assolutamente illogico aspettarsi una felicità permanente da oggetti impermanenti. Amma afferma: "Cercare di ottenere una felicità duratura dal mondo è come cercare di arrotolare il cielo e mettelo sotto l'ascella: non succederà mai. Finché non ci rivolgeremo all'interno, non otterremo mai una felicità durevole o eterna".

Pensiamo di trovare la felicità solo dopo aver soddisfatto certi desideri: supponiamo di credere di averne dieci soltanto e che, realizzati quelli, saremo felici e contenti. Non appena soddisfatti, però, avremo la bella sorpresa di constatare che la lista dei desideri sarà cresciuta fino a quindici. Poi, saremo nuovamente certi che realizzare solo quei quindici ci darà la pace ma, una volta che li avremo in qualche modo esauditi, troveremo che la lista sarà salita a venti. Cercare di appagare tutti questi desideri prenderà del tempo e nel frattempo saremo invecchiati o forse morti, perché la promessa di una felicità terrena è come la ricerca dell'inizio e della fine di un arcobaleno: per quanto lontano riusciremo ad arrivare, troveremo che sono sempre un po' più in là.

Perché tutti gli esseri umani cercano istintivamente la gioia? Questo impulso innato sorge perché gli esseri umani provengono dall'Essere Supremo la cui natura è beatitudine infinita. Questa esperienza è radicata nella coscienza umana e, anche se non ne siamo consapevoli, desideriamo intensamente riprovarla di nuovo. Dunque, il desiderio di gioia è insito in ogni essere umano e, consciamente o no, l'umanità sta lottando solamente verso questo scopo, poiché la natura di tutte le cose è sforzarsi di ritornare al proprio stato naturale, come l'acqua scorre sempre verso il mare e un uccello in gabbia cerca di scappare dalla gabbia. Lo scopo delle Scritture e della vita dei Satguru è di mostrare agli esseri umani il sentiero per ritornare allo stato originario che è gioia infinita ed eterna.

Noi, invece, stiamo cercando una felicità duratura nel posto sbagliato, pensando sia più facile farlo nel mondo esterno poiché la nostra mente è soprattutto estroversa. Gli oggetti esterni procurano solo un riflesso della vera felicità, ma noi scambiamo il riflesso per la realtà e pensiamo che vi sia luce fuori e buio dentro, ma Amma sa che è vero l'opposto e sta lentamente insegnandoci a guardarci dentro per trovare il vero successo.

Soltanto vedendo l'innata imperfezione del sogno della felicità mondana saremo in grado di ritirarci in noi stessi; tuttavia, visto il nostro livello di consapevolezza tanto basso, non saremo sempre capaci di staccarci dagli oggetti neppure se verremo informati sui loro difetti. Ad esempio, in tutti gli annunci pubblicitari di sigarette è obbligatorio indicare che il fumo è dannoso alla salute. L'informazione era un tempo stampata in caratteri molto piccoli, ma oggigiorno, se osservate un qualsiasi pacco di sigarette in Occidente, troverete scritto in stampatello e ben in grande, sul lato del pacchetto, "IL FUMO

UCCIDE". Eppure, molte persone comprano quei pacchetti. C'è una storiella su un accanito fumatore che disse ad un amico di aver visto sul quotidiano una bella pubblicità della sua marca di sigarette preferita. L'effetto era, però, rovinato dall'obbligatorio avvertimento sulla pericolosità del fumo per la salute. "Alla fine", disse il fumatore all'amico, "ero così seccato che ho smesso". L'amico era sorpreso: "Hai smesso di fumare?". "No", esclamò il fumatore, "ho smesso di leggere il giornale!".

Che cosa dire dunque degli inconvenienti della felicità terrena che non portano nessuna etichetta di avvertenza, se non siamo capaci nemmeno di rinunciare ad un oggetto i cui difetti sono chiaramente indicati?

Non sto dipingendo un quadro pessimistico della vita; il punto di vista delle Scritture e della spiritualità, infatti, non è pessimistico né ottimistico – è realistico. Ci sarà facile coltivare il distacco solo una volta che avremo veramente capito la natura del mondo così da non essere colpiti dalle vicissitudini e dalle prove della vita nonostante le responsabilità e le relazioni mondane in cui siamo immersi. Capiremo allora che la vera sorgente della felicità non si trova all'esterno ma all'interno di noi e cercheremo rifugio soltanto in Quello.

C'era una volta un regno con un sistema di governo molto insolito: poteva diventare re chiunque, alla condizione, però, di essere esiliato, dopo cinque anni, in un'isola deserta, abitata solo da serpenti velenosi e animali selvaggi, dove avrebbe trovato morte certa. Poiché molti erano attratti dalla vita lussuosa dei primi cinque anni, la lista d'attesa per diventare re era lunga. Subito dopo l'incoronazione, tuttavia, ogni nuovo re appariva più depresso e tetro del precedente, perché la consapevolezza che i giorni da sovrano erano contati, e che, alla fine, lo aspettavano soltanto sofferenza e morte, impediva a ciascuno di loro di godere una sola ora di quei cinque anni da trascorrere come monarca del regno. I cittadini stavano addirittura considerando di cambiare il loro sistema di governo quando compresero che l'ultimo re era diverso: sorrideva e rideva di continuo, distribuiva doni, concedeva amnistie ai criminali e patrocinava grandi celebrazioni; il suo entusiasmo e buon umore non venivano mai meno neppure col passar degli anni e l'avvicinarsi della fine del suo regno. Alla fine, arrivò il momento di lasciare il trono e di andare da solo sull'isola deserta. Le guardie di palazzo si recarono nelle stanze reali aspettandosi lo scontro che inevitabilmente avveniva il giorno in cui il re veniva mandato in esilio, ma trovarono questo re già pronto sulla porta, sorridente come sempre, perfino mentre lo scortavano fuori città e, poi, sulla barca che lo avrebbe portato sull'isola deserta.

Mentre stava salendo sull'imbarcazione, una guardia di palazzo gli chiese: "Perché ride, pur conoscendo il suo destino? Come può essere felice perfino adesso?".

"Il primo giorno del mio regno", gli confidò, "ho inviato una nave piena di uomini a ripulire l'isola da tutti gli animali pericolosi e da ogni sgradevole vegetazione, poi, una volta terminato, ho mandato un numero ancor più grande di uomini per costruire un palazzo con bei giardini che fanno sembrare una prigione perfino il palazzo dove vivevo qui. Rido sempre perché so che mi attende una vita migliore, anche se sono stato mandato in esilio".

Proprio come il re della storia, non dobbiamo sprecare la nostra energia rimuginando sul fatto che siamo qui solo per un breve tempo, ma dovremmo piuttosto volgere i nostri sforzi al raggiungimento di ciò che è duraturo – lo stato di realizzazione di Dio, il nostro Vero Sé.

Capitolo 19

Una crescita reale è una crescita integrale

Quando usiamo la parola "crescita" ci riferiamo di solito a quella fisica, infatti, tutti gli esseri viventi iniziano la loro vita con un corpo piccolo che nel corso del tempo diventa più grande e forte. Ad eccezione degli esseri umani, questa crescita è limitata al livello fisico, essendo impossibile per gli animali agire diversamente dai loro progenitori, sempre che gli esseri umani non li addestrino a svolgere una qualche semplice e specifica funzione. Ai nostri giorni, il gatto miagola e l'asino raglia esattamente come facevano i loro antenati migliaia di anni fa e l'asino poi non può cantare come un essere umano, anche se quest'ultimo può ragliare come un asino! Gli esseri umani, insomma, si sono evoluti, da un tempo iniziale in cui gesticolavano, grugnivano ed emettevano suoni primitivi, fino ad una comunicazione con un linguaggio semplice, per poi iniziare a scrivere, cantare e mandare e-mail.

La storia dell'evoluzione umana è la storia della nostra crescita su diversi livelli: fisico, mentale, intellettuale e spirituale. Anche se c'è stato un tempo in cui il potere dei muscoli era considerato superiore a tutte le altre qualità dell'essere umano, il mondo moderno attribuisce più valore all'intelligenza, grazie soprattutto alla rivoluzione tecnologica e allo sviluppo dell'educazione e civilizzazione. Possiamo davvero considerare un segno di reale crescita il fatto che attualmente per farsi strada nel mondo le persone usino l'intelletto piuttosto che la forza bruta? In verità, non potremo dichiarare di essere veramente evoluti finché non cresceremo contemporaneamente e sistematicamente su tutti e quattro i livelli sopraccitati.

Amma afferma spesso: "Il nostro corpo sta crescendo in ogni direzione, ma non la mente". Ciò accade perché chiunque può crescere fisicamente semplicemente mangiando e dormendo a sufficienza, senza un proprio sforzo aggiuntivo. Inoltre, non è possibile migliorare i processi involontari del corpo poiché sono funzioni inconsapevoli, vale a dire che non ci sarà possibile migliorare l'uso che facciamo del nostro fegato, raffinare le prestazioni del nostro sistema di circolazione del sangue, o perfezionare le funzioni neuro-motorie se non indirettamente, mantenendoci in buona salute. Invece, possiamo ottimizzare una funzione se vi è implicata la consapevolezza.

Ad esempio, se facciamo uno sforzo cosciente possiamo diventare più pazienti, più capaci di discriminazione e più compassionevoli e questo dimostra che la consapevolezza è il fattore chiave di una crescita mentale, intellettuale, o spirituale. Mentre la crescita fisica ha i suoi limiti, il potenziale per la crescita degli altri tre livelli è illimitato. Naturalmente, sebbene il potenziale infinito del Sé sia presente in tutti noi, i gradi della sua manifestazione possono variare, proprio come, ad esempio, una lampadina da 100 watt farà più luce di una da 10 watt, avendo caratteristiche strumentali diverse, anche se entrambe sono alimentate dal medesimo potere dell'elettricità.

Crescere su questi livelli non è un processo naturale ed è assolutamente necessario uno sforzo personale conscio e duraturo. Possiamo affermare, ad esempio, che il burro è presente nel latte in modo latente, ma si potrà ottenerlo realmente solo agitando il latte per la quantità di tempo necessaria. Nello stesso modo, non ci saranno limiti alla nostra capacità di provare amore e compassione per gli altri, se ci sforzeremo senza sosta di coltivare tali qualità abbracciando il creato nella sua totalità. Amma è l'esempio vivente di quanto il nostro cuore possa espandersi e ciò viene detto "crescita mentale".

Ricordiamo che, secondo il Vedanta, la mente è la sede delle emozioni e l'intelletto è la facoltà decisionale. Perciò quando parliamo di crescita mentale, includiamo lo sviluppo di una maturità emotiva attraverso lo sviluppo di qualità positive come amore incondizionato, compassione, gentilezza, pazienza, ecc., poiché tutte le virtù sono segno di una mente sviluppata e sana.

C'è un immenso spazio per la crescita anche a livello intellettuale: possiamo studiare l'universo dal punto di vista delle particelle subatomiche fino a quello delle galassie in continua espansione. I campi di studio a disposizione degli esseri umani sono così numerosi che una persona media non potrebbe nemmeno elencarli tutti. Soltanto nel campo della fisica, la conoscenza disponibile è talmente vasta che un singolo studente non potrà apprendere tutto ciò che c'è da sapere nell'arco della sua esistenza – dovrà specializzarsi in un piccolo settore di tale scienza. Dunque, la nostra capacità di crescita intellettuale è virtualmente infinita ed è limitata soltanto dalla durata della vita di ciascuno.

Comunque, l'attuale parametro della crescita intellettuale è dato dal grado di sviluppo del nostro potere di discriminazione. Quando andiamo all'università, il nostro intelletto registra un significativo sviluppo, ma sarà il grado di discriminazione acquisito durante il cammino che ci farà decidere se usarlo nella giusta maniera. La conoscenza relativa alla scissione dell'atomo può essere usata sia per generare una grande quantità di elettricità, sia per costruire testate nucleari in grado di ridurre in cenere il mondo intero. Se abbiamo sviluppato il potere della discriminazione, non useremo mai le nostre capacità intellettuali per creare maggiore sofferenza, bensì per ridurla. Trovando il modo di portare beneficio a coloro che sono intorno a noi e alla società nel suo insieme, diminuiremo la sofferenza degli altri e, usando la discriminazione per separare il permanente dall'impermanente, ridurremo la sofferenza anche nella nostra stessa vita.

La crescita spirituale rappresenta il quarto livello di sviluppo. Se le qualità positive denotano progresso mentale e il potere di discriminazione indica quello intellettuale, l'espansione del senso dell'"Io" rappresenta il criterio di crescita spirituale. Attualmente, la maggior parte di noi è condizionata a considerarsi un corpo fisico dotato di facoltà mentali e intellettuali, arrivando al massimo ad includervi la propria famiglia, la professione e il paese di appartenenza. Dobbiamo riconoscere i limiti dei condizionamenti attuali e cercare gradatamente di espandere i nostri confini, finché potremo abbracciare tutto il creato come il nostro Vero Sé. Infatti, la reale natura di ciascuno di noi è l'infinito, onnisciente, onnipotente e onnipervadente Brahman e per questo non vi sono limiti alla nostra crescita spirituale: la comprensione del Vero Sé ci farà realizzare che, in verità, siamo infiniti.

Un Satguru ha raggiunto questa meta e può aiutare gli altri a fare lo stesso. Tutti noi, naturalmente, abbiamo il potenziale di raggiungere il medesimo stato di Amma perché in essenza siamo tutti la stessa e unica Coscienza e Amma lo sottolinea rivolgendosi ai Suoi figli come a "Omkara divya porule", che significa "L'essenza dell'Om". Il Satguru comincerà a lavorare su di noi dal livello mentale e intellettuale per poi condurci, lentamente, alla nostra eterna dimora di beatitudine immortale. Ci aiuterà a superare le nostre negatività a livello mentale e a sviluppare qualità virtuose; a livello intellettuale, il Satguru ci farà comprendere che cosa sia eterno, cosa effimero, come discriminare tra i due ed infine, a livello spirituale, il Suo amore e la Sua compassione senza limiti dissolveranno il nostro ego e ci faranno realizzare la nostra unità con Lui e con tutto il creato.

Il lavoro del Guru è soprattutto quello di aiutarci a crescere mentalmente e spiritualmente. Vi sono molti esempi di persone ricche che, concentrate solo nell'accumulare sempre più denaro per se stesse e per i membri della loro famiglia, dopo aver incontrato Amma, hanno abbandonato molti degli agi cui erano abituate e ora vivono in uno spirito di rinuncia, impiegando il loro tempo e ricchezze aiutando i bisognosi. Questo costituisce un esempio di crescita mentale. Ci sono anche casi di persone che erano solite esibire un temperamento collerico, arrabbiandosi molto anche per inezie, e che, dopo l'incontro con Amma, sono diventate calme e composte perfino in circostanze difficili.

C'era un medico che veniva di frequente all'ashram per offrire trattamenti medici gratuiti, ma che aveva un carattere così collerico da rimproverare spesso e ferocemente i suoi pazienti. I residenti dell'ashram si lamentarono con Amma della sua crudeltà, aggiungendo di avere paura di recarsi da lui, anche se erano ammalati. Amma gli riferì tali lagnanze ed egli ammise di possedere un brutto carattere e di aver lottato a lungo, ma invano, per cambiare. Amma disse al medico: "Figlio mio, Amma può aiutarti a superare la tua collera, ma tu devi prometterLe una cosa". L'uomo La guardò esitante, ma Amma gli disse di non preoccuparsi: quello che stava per chiedergli era indubbiamente in suo potere. Sentendo le rassicuranti parole di Amma, il medico accettò di fare qualunque cosa gli avesse chiesto. Amma dunque gli diede un Suo ritratto incorniciato e protetto da una lastra di vetro, dicendogli: "Figlio mio, tutte le volte che ti arrabbierai con qualcuno, Amma vuole che tu colpisca questa foto il più forte possibile". Il medico rimase scioccato da queste istruzioni, ma poiché aveva ormai promesso, decise di fare del suo meglio.

Il giorno dopo, il dottore si ritrovò, come sempre, ad arrabbiarsi coi pazienti e, ogni volta, attendeva che se ne andassero per poi colpire, molto gentilmente, la fotografia di Amma. Dopo alcuni giorni, Amma gli chiese come proseguiva il controllo della sua collera e lui rispose che c'era stato qualche miglioramento, ma che perdeva ancora la calma. Amma allora s'informò se stava colpendo il Suo ritratto con la massima forza ed egli ammise di farlo solo garbatamente, perché non sapeva decidersi a picchiare una foto di Amma. Ella, allora, gli ricordò che aveva fatto una promessa e gli disse di picchiare sodo, la volta successiva.

Il medico ritornò in clinica risoluto a non arrabbiarsi perché, si disse, altrimenti, avrebbe dovuto colpire con molta violenza la foto di Amma, e non poteva neppure immaginare di farlo, ma per la forza dell'abitudine, il giorno successivo si ritrovò a rimproverare duramente un paziente che non aveva seguito le sue istruzioni. Dopo che il paziente se ne fu andato, si avvicinò alla foto di Amma appesa al muro e, facendosi forza, la colpì con grande vigore, mandando in frantumi il vetro. Si sentì immediatamente a terra per quello che aveva fatto e non riuscì a mangiare per tre giorni dal rimorso.

Subito dopo, però, il medico subì un tale grande cambiamento che i suoi pazienti cominciarono perfino ad elogiare il suo notevole grado di gentilezza e di pazienza. Alcuni mesi dopo, Amma lo sciolse dalla sua promessa raccomandandogli comunque di fare sempre molta attenzione al suo carattere. Anche se sembrava che in questo caso Amma avesse preso una misura eccessiva, essa si rivelò, invece, la sola via per aiutare il medico a superare il suo cattivo carattere e a crescere mentalmente.

Crescita spirituale significa assorbimento di princìpi spirituali quali distacco, altruismo e abbandono. Poiché Amma incarna perfettamente tutte queste qualità, potremo coltivarle osservandoLa e cercando di seguire il Suo esempio e le Sue indicazioni.

Molti anni fa, le autorità di un tempio di uno dei villaggi vicino all'ashram, mi chiesero di andare a tenere un programma e, come sempre, prima di rispondere, chiesi il permesso ad Amma che acconsentì a fissare il satsang per la settimana seguente.

Arrivai al tempio alle 4:30 del pomeriggio del giorno previsto e non mi preoccupai che non ci fosse ancora nessuno, perché il programma doveva cominciare alle 5:00. Attesi pazientemente, ma alle 5:00 nessuno era ancora arrivato per partecipare al satsang. Prima di cominciare, decisi di aspettare ancora un po': passarono le 5:15, le 5:30 e le 5:45, ma non c'era ancora nessuno.

Alle 6:00, due persone, che avevano l'aria di essere venute con il solo scopo di partecipare all'adorazione di quel tempio, mi videro seduto e si accomodarono per sentire che cosa avevo da dire. Non appena si sedettero, cominciai a recitare le preghiere di apertura che di solito durano solo un minuto o due; in quel caso, sperando che arrivassero più persone per ascoltare il satsang, aggiunsi versi su versi, sbirciando segretamente, tra l'uno e l'altro, se erano arrivate altre persone. In questo modo allungai le preghiere iniziali fino a 10 minuti.

Alla fine, vidi avvicinarsi un gruppo di persone e così conclusi le preghiere. Ma dopo che ebbi cominciato a parlare, compresi che anche queste persone non erano realmente venute per ascoltare me, perché rimasero in piedi nella sala per alcuni minuti e poi se ne andarono all'interno del tempio a pregare. Io avevo preparato un lungo discorso, ma in quella situazione, parlai solo per pochi minuti, poi chiusi gli occhi e cominciai a cantare i bhajan. Continuai così finché udii i preti del tempio che si preparavano a cominciare l'*arati* (adorazione compiuta ondeggiando della canfora che brucia davanti all'immagine della divinità). Nella sala, intanto, si erano radunate circa venti persone, non so se per seguire il programma o solo l'arati del tempio, finito il quale, cantai l'arati di Amma e poi tornai all'ashram.

Molto turbato per come erano andate le cose, mi recai da Amma con il muso lungo. Ero certo che Lei naturalmente sapeva già quante persone avrebbero partecipato al programma e perciò Le dissi che, in quelle circostanze, non avrebbe dovuto accordarmi il permesso di andare. Ella rispose: "Amma ti ha detto di tenere un satsang, non di contare il numero delle persone che partecipavano. Infatti, è stato diffuso dagli altoparlanti del tempio e perciò, anche se nessuno è venuto, tu non sai quante persone ti stessero ascoltando dalle loro case. Molti stavano aspettando di ascoltare il satsang: avresti dovuto cominciare all'ora prevista e svolgerlo interamente".

Amma continuò dicendo: "Se Amma ti dice di fare qualcosa, devi imparare a farla senza preoccuparti del risultato". Compresi allora il mio errore: se il Satguru ci chiede di fare qualcosa, c'è sicuramente uno scopo nascosto anche se al momento non ci è chiaro.

Molti anni dopo, durante una mia visita in Columbia, avendo programmato di condurre una Devi Puja a Bogotà, andai nella sala verso mezzogiorno per collaborare alla sua preparazione, e notai che le persone cominciavano ad affluire già dalle due, anche se l'inizio della Puja era fissato per le sei. Terminammo i preparativi verso le tre e mentre uscivo per fare ritorno alla casa dove alloggiavo, vidi che in sala si era radunata già una notevole folla, perciò supposi che nel pomeriggio ci fosse un'altra funzione. Quando vi feci ritorno, però, poco prima delle sei, rimasi sorpreso nel vedere che fuori c'era una lunga coda di persone. Il mio primo pensiero fu che fossero state invitate ad uscire per qualche problema sorto all'interno della sala, ma, quando entrai, notai che era completamente piena e che le persone stavano all'esterno proprio perché non vi era più spazio. Pensai allora che qualche errore nel comunicato avesse fatto credere a tutti che al programma avrebbe partecipato Amma in persona e che tutti aspettassero Lei.

Chiesi immediatamente ad un organizzatore se vi fossero stati malintesi negli annunci ma egli rispose di no, e ammise di essere molto sorpreso anche lui dell'affluenza. Cominciai a sentirmi nervoso – come avrei potuto soddisfare tutta quella gente, se stava realmente aspettando di vedere Amma? Io potevo al massimo tenere un discorso, cantare qualche bhajan e condurre una puja. Mi sentii completamente impotente e cominciai a pregare. "Amma, come posso far felici queste persone? È impossibile con il mio solo potere. Soltanto con la Tua grazia potranno sentirsi soddisfatte di questo programma".

Pregando in questo modo, cominciai il programma come pianificato. Feci un discorso, cantai alcuni bhajan e condussi la puja; tuttavia, non ebbi la sensazione di essere io a fare tutto questo, ma, piuttosto che il programma fosse condotto da qualcun altro, attraverso me. Mi sembrarono cinque minuti eppure il programma durò tre ore, durante le quali nessuno lasciò la sala. Alla fine, fui circondato da persone che correvano a toccarmi o a farmi toccare i loro gioielli, affermando di voler assorbire parte dell'energia spirituale che stavo irradiando. Il loro comportamento mi sorprese molto: come potevano percepire una tale sensazione provenire da me? Compresi che si trattava unicamente della grazia di Amma.

Quando lo raccontai ad Amma, disse: "Se riesci a svuotarti, Amma può entrare completamente in te. Sentirti tanto indifeso ti ha reso capace di abbandonarti completamente ad Amma e ciò ha permesso all'energia di Amma di fluire attraverso te". Così, se siamo capaci di compiere le nostre azioni con la giusta comprensione spirituale, possiamo diventare uno strumento perfetto per ricevere la grazia divina.

Se paragono il programma di Bogotà a quello che avevo condotto nel villaggio vicino all'ashram, vedo con chiarezza che, nel corso degli anni, Amma mi ha aiutato a coltivare una migliore comprensione dei princìpi spirituali.

Senza maturità intellettuale, non sapremo riconoscere la giusta azione da compiere; se ci manca la maturità mentale, non potremo essere in grado di trovare in noi la capacità per compiere l'azione giusta; ma è la maturità spirituale che ci aiuterà a portare a termine l'azione senza attaccamento al risultato. Dunque, la maturità spirituale è il fondamento di tutti gli altri aspetti della crescita: se possediamo maturità intellettuale e mentale ma siamo attaccati al risultato delle nostre azioni, potremmo sentirci frustrati o depressi e perdere il nostro entusiasmo di servire il mondo e di persistere nelle pratiche spirituali. Ecco perché è tanto importante una crescita integrale.

Potremo adempiere allo scopo di questa nascita umana, solo se cercheremo di crescere mentalmente, intellettualmente e spiritualmente – non soltanto fisicamente.

Capitolo 20

Perché Venere è più caldo di Mercurio: l'importanza della ricettività

Arrivare da Amma non dovrebbe avere come solo scopo quello di soddisfare i nostri desideri mondani, perché sarebbe proprio come andare da un sovrano che è pronto a darci il suo intero regno e chiedergli solamente una carota. Amma è disposta a condurci fino alla più alta meta della vita, perciò non dovremmo accontentarci di niente di meno; ma per ricevere quello che ci offre, dobbiamo diventare ricettivi.

La nostra mancanza di ricettività, infatti, c'impedisce di ricevere il completo beneficio da ciò che Lei, con la Sua costante guida, ci dona, anche se è proprio quello di cui abbiamo bisogno. La nostra ricettività è dunque più importante della mera vicinanza fisica al Guru.

Nel sistema solare, Mercurio è il pianeta più vicino al sole e per logica dovrebbe essere quello più caldo. In realtà è Venere quello più caldo: perché è così? Perché c'è qualcosa di speciale nell'atmosfera di Venere che la rende capace di assorbire maggiormente il calore. In modo analogo, non è solo la prossimità al Guru che conta, ma anche la ricettività del discepolo.

Se manchiamo della giusta ricettività, non sapremo ascoltare le parole del Guru così come le ha espresse; al contrario, ogni persona le interpreterà a suo modo, travisate e distorte dai propri punti di vista e tendenze personali.

Durante il darshan, Amma sussurra cose differenti all'orecchio di ciascuno, o nella lingua del devoto, o in malayalam, la Sua lingua nativa. Ad esempio, può dire "mom kutta" che significa "caro figlio" o "mutte, mutte, mutte", cioè, "adorato figlio mio, adorato figlio mio".

Indipendentemente dal linguaggio usato da Amma, però, dieci persone diverse capiranno dieci cose diverse. Una volta, un signore venne da me e mi disse di aver sentito Amma che gli sussurrava all'orecchio: "Domani, domani, domani", ovviamente perché sperava di avere un buon risultato nel colloquio di lavoro che doveva sostenere l'indomani. Una donna, che si sentiva colpevole per le sue cattive abitudini, disse di aver sentito Amma che le diceva: "Birba, birba, birba" anziché "bimba mia, bimba mia, bimba mia". Un uomo, che aveva dimenticato nella sua stanza un casco di banane che aveva comprato per fare un'offerta ad Amma, quando andò al darshan, travisò le parole che Amma gli disse all'orecchio: "Ponnu mone, ponnu mone (che significa "Mio amato figlio"), in "Banane, banane, banane"! A causa delle preoccupazioni presenti nella loro mente, queste persone non furono in grado di udire quello che Amma cercava di dire loro.

Una volta, un uomo di 92 anni andò dal dottore per un esame. Alcuni giorni dopo il dottore rimase scioccato nel vederlo camminare a braccetto con una bella e giovane ragazza e gli disse: "Perbacco! Se la passa bene, eh?".

Il vecchio uomo rispose: "Sto solo facendo quello che ha detto lei, dottore. 'Si faccia una bionda, stia di buon'umore'. Non è giusto?".

Il dottore disse: "No, non ho detto così! Ho detto: Non stia troppo sull'onda, stia attento al cuore!". Nello stesso modo, il vero significato delle parole del Maestro sarà spesso oscurato dai nostri particolari desideri, preferenze e paure.

Finché la nostra situazione sarà così, il Maestro non ci potrà veramente aiutare: potremo trarre beneficio dalle Sue parole soltanto diventando il più aperti e ricettivi possibile, proprio come un bambino innocente.

C'è una storia su quattro amici, tre dei quali, in varie discussioni, si schieravano sempre contro il quarto. Un giorno, nel corso di una conversazione, il quarto amico espresse un'opinione molto valida ma, come sempre, i primi tre amici contestarono con disdegno la sua idea. Il quarto amico divenne così frustrato e triste da cominciare a pregare Dio a voce alta: "Oh Signore, per favore, da' ai miei amici un segno per provare che ho ragione". Immediatamente nel cielo chiaro e cristallino, scure nuvole si addensarono sulle loro teste. Il quarto amico indicò il cielo e disse: "Guardate, Dio è dalla mia parte, ha mandato il segno che ho ragione!". I tre amici si beffarono della sua rivendicazione, affermando che si trattava di una pura coincidenza. Il quarto amico si sentì ancora più frustrato e, per convincerli, implorò Dio di mandare un segno ancora più evidente. Subito l'aria fu attraversata da un tuono e da lampi che illuminavano il cielo sempre più scuro. Il quarto amico esclamò felice: "Ora non ci sono più dubbi! Dio è dalla mia parte!".

I tre amici non si spostarono dalle loro idee e, scrollando le spalle, dissero: "Oh, non è niente, è normale che vi siano tuoni e lampi quando si ammassano delle nuvole scure".

Il quarto amico gridò disperatamente verso Dio: "Oh Signore, per favore, mostra loro un segno indiscutibile che sei dalla mia parte!".

Come risposta, una voce profonda rimbombò dall'alto: "Ehi, ascoltate il vostro amico perché ha ragione!".

Dopo aver sentito la voce di Dio, i tre amici dissero: "Anche se Dio è dalla tua parte, siamo pur sempre tre contro due!".

Questa storia dimostra che certe persone non sono per niente aperte e ricettive, tanto da restare aggrappate alle loro idee, per quanto ridicole e assurde siano, e da continuare per la loro strada anche dopo aver ricevuto consigli da Amma stessa. Questa è la ragione per cui Amma afferma che è facile svegliare chi dorme, ma è molto difficile svegliare qualcuno che finge di dormire. Cerchiamo di non essere come i tre amici della storia, ma, al contrario, sempre aperti e ricettivi a ciò che Amma sta cercando di insegnarci. Se pensiamo di sapere tutto, non potremo imparare nulla.

Capitolo 21

Come sviluppare una vera devozione

P er il nostro progresso spirituale è molto importante sviluppare e aumentare la devozione verso Dio, il nostro Guru o il fine spirituale. La devozione al Guru e la devozione a Dio sono la stessa e unica cosa, perché il Satguru è tutt'uno con Dio. Sebbene abbia una forma umana – maschile o femminile – il Satguru non possiede il senso dell'individualità o la sensazione: "Io sono così e così e ho fatto questo e quest'altro". Qualunque cosa provenga da un Satguru proviene da Dio e il potere universale di Dio opera attraverso il Satguru stesso. Quando Amma, o un altro Mahatma, dice "Me" o "Io" – come ad esempio il Signore Krishna nella Bhagavad Gita quando afferma "Io sono la base di tutto" – non lo fa riferendosi al Suo corpo o alla Sua forma particolare, ma alla Suprema Coscienza in cui è stabile.

Amma afferma che, mentre stiamo sviluppando la devozione, dobbiamo assicurarci che si tratti di *tattva bhakti*, ossia di devozione basata sulla corretta comprensione e conoscenza, altrimenti non sarà stabile. Infatti, finché nella nostra vita le cose vanno bene potremmo anche provare un forte sentimento di devozione; esso però potrebbe anche declinare facilmente qualora accadesse qualcosa di negativo. Quando la nostra devozione è basata sulla conoscenza, preghiamo Dio perché Lo amiamo e vogliamo realizzare la Verità e non Lo consideriamo come un mezzo per soddisfare i nostri desideri.

Tattva bhakti significa conoscenza che ciò che ci capita, buono o cattivo, è il risultato delle nostre azioni compiute in questa vita o nelle precedenti. Significa inoltre comprensione che le cose negative che ci accadono non dipendono dalla mancanza di compassione di Dio, né quelle buone da una Sua preferenza per noi. Infatti non è così: tutto quello che accade è in accordo con il particolare prarabdha di una persona e in questo processo, Dio è soltanto un testimone. Amma afferma: "Non identificate la vostra devozione con le esperienze che avete, esse sono state create dalle vostre azioni passate e Dio non ha nulla a che fare con questo. Egli ha stabilito una serie di leggi cosmiche seguendo le quali avrete belle esperienze, ma che, se trasgredite, vi porteranno le corrispondenti cattive esperienze. Naturalmente, certe difficoltà potranno essere rimosse pregando con sincerità mentre altre esperienze non potranno essere evitate: in questo caso, preghiamo per avere la forza per affrontare tali difficoltà con mente equanime".

Questo non significa che possiamo incolpare di tutto il nostro prarabdha. Se la polizia mi porta in prigione perché ho picchiato qualcuno, non posso certo dare la colpa al mio prarabdha, perché so perfettamente che non devo picchiare la gente o sarò punito. Come posso incolpare il mio destino se finisco in prigione per aver picchiato qualcuno? Questo non è prarabdha, ma l'immediato risultato di un'azione che ho compiuto.

Il prarabdha è responsabile di ciò che accade nonostante i nostri sforzi. Sappiamo che è molto probabile che ci romperemo una gamba se saltiamo giù da un albero dopo esserci arrampicati. Dunque, se ci buttiamo giù e ce la rompiamo non potremo affermare che romperci la gamba era il nostro prarabdha. Tuttavia, se non ce la rompiamo, potremo davvero dire che è il risultato del nostro buon prarabdha. In altre parole, ci sono alcune regole con validità generale per la vita sulla terra e se queste non si applicano ad una certa nostra situazione, possiamo pensare che ciò sia dovuto al nostro buon prarabdha. Non possiamo però dare la colpa di tutto al prarabdha: se dopo aver studiato davvero e lavorato sodo otterremo un voto scadente ad un esame, allora potremo dire che è il nostro prarabdha, ma se non studiamo, non potremo dare la colpa al prarabdha per gli scarsi risultati.

Ricordo un devoto che era stato con Amma per molti anni. Amma gli aveva dato molte meravigliose esperienze, ma, nonostante ciò, egli non era stato capace di sviluppare per Lei una ferma devozione, finché alla fine non venne più. Possiamo imparare molto da questa storia. Lasciate che ve la racconti.

Quando Amma cominciò a manifestare il *Krishna Bhava*, alcuni riconobbero immediatamente la Sua divinità, altri erano molto scettici e si chiedevano come poteva il Signore Krishna manifestarSi in un corpo umano.

Uno di questi scettici non era ateo, anzi, era un sincero devoto del Signore Krishna e, in occasioni liete, come compleanni o matrimoni, era spesso invitato nelle case per leggere a voce alta dei brani tratti dallo *Srimad Bhagavatam*, un testo sacro che descrive i giochi divini del Signore Krishna.

Poiché sapevano della sua devozione al Signore Krishna, gli amici gli dissero di andare a conoscere Amma, che avevano già visto durante il Krishna Bhava, ma egli rifiutò poiché non era ancora pronto a credere che il Signore Krishna si manifestasse nel corpo di quella giovane donna.

I suoi amici continuarono ad insistere perché incontrasse Amma e alla fine accettò, ma prima di credere, pretese una qualche prova che Amma manifestasse veramente il Signore Krishna.

Un giorno di Krishna Bhava all'ashram, Amma stava dando il darshan ai devoti quando, improvvisamente, uscì dal tempio e cominciò a camminare senza dire a nessuno dove stesse andando. I devoti erano molto sorpresi di questa sua improvvisa partenza. Molti decisero subito di seguirla, ma Amma camminava così velocemente che tutti furono costretti a correre per riuscire a starLe dietro.

Sebbene non fosse mai stata là prima, né avesse avuto da qualcuno le indicazioni per arrivarci né qualcuno Le avesse chiesto di andarci, dopo aver coperto l'intera distanza di sette o otto chilometri, Amma andò direttamente nella casa del devoto del Signore Krishna e, entrata nella stanza della preghiera, prese dall'altare un recipiente contenente del budino e cominciò a mangiarne un poco.

L'uomo rimase sbalordito nel vedere Amma fare così; era sua abitudine cucinare quotidianamente un budino da porre nella stanza della preghiera come offerta al Signore Krishna e dal momento in cui fu testimone che Amma era venuta e aveva accettato la sua offerta, divenne un Suo strenuo devoto.

In seguito raccontò che in quel giorno particolare, nel mettere il budino sull'altare davanti all'immagine di Krishna, si era detto che avrebbe creduto che Amma era Krishna soltanto se fosse venuta ad accettare la sua offerta.

In un'altra occasione, questo stesso devoto andò in uno stagno per fare un bagno e accidentalmente si avventurò in un punto troppo profondo per lui che non sapeva nuotare, tanto che cominciò ad annegare. Con la grazia di Amma, fu capace di ricordarLa mentre lottava per la vita e cominciò a gridare: "Amma! Amma!". All'improvviso, sopra le acque proprio di fronte a lui, vide Amma che gli mostrava come usare le mani e le gambe per rimanere a galla e uscire dall'acqua. Anche se non pensava di essere in grado di seguire le istruzioni di Amma, percepì una forza esterna che gli muoveva gli arti per farlo galleggiare e, in questo modo, la sua vita fu salva. Poi raccontò spesso agli altri questa profonda esperienza.

Questo devoto aveva adottato un ragazzo orfano e Amma acconsentì che il ragazzo aprisse un piccolo chiosco per il tè sulla proprietà dell'ashram. A quel tempo non c'erano ristoranti

o alberghi vicino all'ashram, perciò i suoi affari prosperavano grazie alle centinaia di devoti che visitavano il suo locale. Stava facendo molto denaro e passava la parte maggiore del profitto al padre adottivo, tanto che questi non aveva neppure più bisogno di lavorare, grazie al denaro che gli proveniva dal figlio adottivo. Erano entrambi molto felici della situazione.

Passarono così alcuni anni e intanto sempre più persone cominciarono a fare visita ad Amma: all'ashram c'era spesso una grande folla, ma insufficienti strutture per ospitare il crescente numero di devoti. Amma voleva costruire per loro più stanze, una sala da preghiera e una da pranzo, così spiegò al ragazzo la situazione e gli chiese di trasferire il suo locale, in modo da poter usare la porzione di proprietà dell'ashram occupata dal suo chiosco per costruire più servizi utili ai devoti. Il ragazzo riferì le parole di Amma al padre adottivo che nell'udire queste novità si agitò molto perché entrambi stavano facendo molto denaro con il chiosco. Non gli piaceva affatto l'idea che Amma volesse che si spostassero, così diceva: "Perché Amma chiede a mio figlio di spostare il suo locale?".

È il caso di menzionare che, riguardo ad Amma, la maggior parte delle persone la pensava allora diversamente da oggi, specialmente coloro che abitavano nei villaggi vicini. Essi sapevano che, durante certi giorni della settimana, Amma manifestava il *Devi Bhava* e il *Krishna Bhava*[10] ed erano convinti che soltanto

---

[10] Amma dà regolarmente un darshan speciale, in cui appare con l'atteggiamento e negli abiti della Devi e nel quale è completamente identificata con Dio nella forma della Madre Divina. Nei primi tempi, era solita dare il darshan anche in Krishna Bhava. Su questi speciali *bhava* (stati d'animo), una volta Amma ha detto: "Dentro di noi esistono tutte le divinità del pantheon indù, rappresentanti gli innumerevoli aspetti dell'Unico Essere Supremo. Chi possiede il Potere Divino può manifestare ciascuna di esse per mezzo della Sua sola volontà, per il bene del mondo. Ecco qui una pazza ragazza che si traveste da Krishna e poi da Devi, ma è all'interno di Lei che entrambi

in quei giorni potesse diventare Dio, la Devi o Krishna. Pensavano, insomma, che Amma fosse visitata da forze divine esterne solo in quei giorni particolari, e che, negli altri, fosse come ogni altro comune essere umano. Poiché la convinzione era questa, la prima domanda che si pose il devoto, nell'udire che Amma aveva chiesto a suo figlio di spostare il locale, fu: "Quando ha detto queste parole Amma?", chiedendosi se fosse accaduto durante il Devi Bhava o in un "momento normale" e continuando a dire: "Dovrò chiederlo alla Devi".

Durante il Devi Bhava o il Krishna Bhava, la gente chiamava Amma sia Amma, sia Krishna, ma nel rimanente tempo si riferivano a Lei come "*kunju*", che significa "bambina", o "*mol*", "figlia", o col Suo nome di nascita, Sudhamani. Perfino alcuni brahmachari, pensando anch'essi che Amma e la Devi fossero separate, pur considerandoLa comunque il loro Guru, La chiamavamo Amma, nei momenti normali, e Devi Amma, durante il Devi Bhava. Talvolta, durante il giorno, andavamo da Amma senza che ci prestasse alcuna attenzione – magari continuava a parlare con un altro devoto o rimaneva immersa in meditazione – allora, ci recavamo da Lei durante il Devi Bhava a lamentarci: "Devi Amma, oggi Amma non mi ha neppure degnato di uno sguardo, per favore, dille di mostrare più interesse nei miei confronti, in futuro". Amma, in Devi Bhava, rispondeva: "Non preoccuparti,

---

esistono. "Perché si decora un elefante? E perché un poliziotto indossa un'uniforme e un berretto? Tutti questi ausili esteriori hanno lo scopo di creare una certa impressione. In modo simile, Amma indossa l'abito di Krishna o della Devi per rafforzare l'attitudine devozionale delle persone che vengono al darshan"."Perché si decora un elefante? E perché un poliziotto indossa un'uniforme e un berretto? Tutti questi ausili esteriori hanno lo scopo di creare una certa impressione. In modo simile, Amma indossa l'abito di Krishna o della Devi per rafforzare l'attitudine devozionale delle persone che vengono al darshan".

lo dirò ad Amma". Poiché la nostra attitudine era di considerare Amma e la Devi come se fossero separate, Amma l'assecondava.

Quel devoto, dunque, venne al darshan del Devi Bhava e disse ad Amma: "Devi, è vero che Kunju ha detto a mio figlio di spostare il suo locale dalla proprietà dell'ashram?".

Amma gli spiegò: "Vedi, Kunju ha fatto questa richiesta a tuo figlio perché l'ashram ha un disperato bisogno di un po' di terra. Molti devoti non hanno neppure un posto per riposare, alcuni sono vecchi e malati e hanno bisogno di un'adeguata sistemazione". Nell'udire le parole di Amma, il devoto dimenticò che stava parlando con la Devi, si arrabbiò così tanto da abbandonare l'ashram immediatamente e non tornare mai più a trovare Amma. Tutta la sua fede e devozione sparirono in un istante quando Amma gli disse qualcosa che non gli era piaciuto, e poiché il suo amore non era fondato sulla conoscenza, non poté fare uso delle belle esperienze che aveva avuto da Amma.

Amma chiama il tipo di devozione di quell'uomo, il quale pensava che Ella fosse solo un mezzo per soddisfare i suoi desideri, "devozione affaristica", e tale devozione non potrà mai essere stabile, perché aumenterà assieme all'amore per Dio ogniqualvolta Dio risponderà alle nostre preghiere, ma decrescerà quando penseremo che queste sono rimaste senza risposta.

La vera devozione non è mai toccata da nulla di quello che accade nella vita. Leggendo la storia di Amma, apprendiamo che Ella conservò sempre una ferma devozione in Dio, indipendentemente dalle esperienze che fu costretta ad affrontare. Durante la Sua infanzia, Amma ricevette soltanto oltraggi e maltrattamenti da parte dei membri della Sua famiglia, dei vicini e degli abitanti dei villaggi circostanti, ma la Sua devozione non vacillò mai nonostante queste avverse esperienze. Al contrario, quando si trovava in difficoltà Amma pensava: "Dio mi sta dando l'opportunità di sviluppare le qualità di sopportazione e pazienza". Questa è l'attitudine di un vero devoto.

Se saremo in grado di sviluppare questa attitudine, non avremo mai motivo di arrabbiarci con Dio, anche se le cose andranno contro i nostri desideri; al contrario, saremo capaci di accettare le esperienze spiacevoli come opportunità per coltivare qualità spirituali come la pazienza, l'accettazione e l'equanimità.

Poiché i brahmachari sono venuti da Amma con l'unico obiettivo di realizzare Dio, Ella è molto rigida con loro quando commettono qualche errore e pretende, inoltre, che compiano ogni singola azione con tale obiettivo nella mente. Una volta, Amma disse a un brahmachari dell'ashram che aveva fatto un errore: "Non parlerò più con te". Queste parole lo turbarono molto perché rappresentano la punizione peggiore che si possa ricevere da Amma: più dei rimproveri, che forse non ci toccherebbero più di tanto, per noi è molto doloroso che Amma non voglia parlarci. Ogni mattina quel brahmachari andava da Amma per cercare di scusarsi, ma Ella rifiutava di ascoltarlo. Dopo che più di una settimana trascorse in questo modo, egli non ne poté più e un bel giorno, alla fine del darshan del mattino, seguì Amma da vicino mentre tornava nella Sua stanza in modo da entrarci di nascosto senza che Ella se ne accorgesse, prima che la porta venisse chiusa. Quando la chiuse, Amma trovò il brahmachari nella stanza.

Senza dire una parola, Amma lo prese per un braccio e gli mostrò la porta. Il brahmachari attese all'esterno per un po' di tempo e poi scese le scale. Lo incontrai proprio mentre se ne stava andando e mi raccontò quello che era appena accaduto, concludendo: "Ma non sono infelice, in verità ora mi sento molto felice!".

"Come puoi essere felice se Amma continua a non parlarti?" chiesi.

"Almeno mi ha toccato", replicò. "Mentre indicava la porta, mi teneva per un braccio e questo per me è sufficiente".

Amma dimostrò di essere molto felice della sua attitudine, quando in seguito Le raccontai quello che il brahmachari mi aveva confidato. Il giorno seguente, Amma cominciò nuovamente a parlargli e gli spiegò che per Lei è impossibile essere davvero arrabbiata con qualcuno e che il Suo trattamento era stato solo una messa in scena per renderlo consapevole del suo errore.

Non troveremo mai errori in Dio o nel Guru, se avremo una vera devozione e, per assicurarci che essa non vacilli o non si attenui mai, dovremo farla poggiare su una solida base di conoscenza. Una devozione così salda accelererà certamente la nostra crescita spirituale e rafforzerà il nostro legame con Dio o col Guru.

Capitolo 22

La visione delle Scritture

È utile avere una conoscenza di base delle Scritture del Sanatana Dharma, specialmente per un ricercatore spirituale. Le Scritture ci forniscono una chiara visione dello scopo della vita umana e i mezzi per realizzarlo, e ci aiutano a comprendere i Mahatma almeno un poco.

Osservando attentamente le azioni e le parole di un Satguru e seguendo senza riserve le Sue istruzioni, saremo comunque capaci di realizzare la meta spirituale, anche se non riusciamo a studiare le Scritture. Infatti i Mahatma sono stabili nella Conoscenza Suprema e qualunque cosa dicano equivale alla parola delle Scritture, tanto da essere considerati, come Amma, "Scritture viventi".

Quando decidemmo di preparare un emblema dell'ashram di Amma, ci fu una grande discussione tra i brahmachari circa la scelta della citazione da scegliere e poiché non arrivavamo a nessuna conclusione, alla fine ci recammo da Amma e Le chiedemmo: "Amma, vogliamo il Tuo aiuto. Per favore indicaci una citazione da mettere sotto l'emblema dell'ashram". All'inizio disse: "Prendetene una che vi piaccia". Allora noi tentammo ancora, ma senza trovare un accordo. Un giorno, mentre stavamo casualmente parlando con Lei, inaspettatamente disse: "Figli, la liberazione può essere raggiunta soltanto attraverso la rinuncia". Naturalmente pronunciò queste parole in malayalam e non in sanscrito, ma immediatamente uno dei brahmachari ricordò una frase di un'*Upanishad* che aveva un significato analogo: "*tyagenaike amrtatvamanasuhu*". Pur non avendo mai letto alcuna Scrittura,

Amma fece una citazione che aveva lo stesso significato di questa affermazione spirituale.

Le più antiche di tutte le Scritture, i *Veda* non sono opera di un autore umano, ma sono state "rivelate" agli antichi *rishi*, o veggenti. I rishi raggiunsero uno stato di assorbimento talmente profondo da riuscire a percepire i mantra che costituiscono il corpo dei Veda: questi mantra erano presenti in natura sotto forma di vibrazioni sottili.

Le idee contenute nei Veda sono classificate in due parti. Il *Karma Kanda* (Parte Rituale) descrive molti rituali utili alla realizzazione di specifici desideri. Ad esempio c'è un rituale per avere un figlio o per andare in paradiso. Le persone eseguivano questi rituali già migliaia di anni fa per soddisfare efficacemente i loro desideri. Per ogni specifico desiderio è richiesta una serie di pratiche che va dall'alzarsi dal letto guardando in una certa direzione, al cantare certi mantra prima, durante e dopo il bagno, oppure prima di mangiare, eccetera. È necessario, poi, seguire molti passaggi particolari nell'esecuzione del rituale stesso, ciascuno dei quali è accompagnato da specifici mantra e preghiere. Alcuni di questi rituali durano per molti giorni e così tali mantra sono efficaci sia per realizzare un desiderio particolare, sia per l'effetto sottile positivo che hanno sulla persona che li ripete. Eseguendo anche solo alcuni di questi rituali, la mente diviene sempre più pura e sintonizzata su Dio e grazie a quest'influenza favorevole, c'è perfino la possibilità che la persona diventi un ricercatore spirituale. Il Karma Kanda aiuta la gente comune a realizzare i propri desideri e contemporaneamente accende un interesse interiore nella spiritualità.

La seconda parte dei Veda chiamata *Jnana Kanda* (Parte della Conoscenza, ovvero contenente la conoscenza), è concentrata esclusivamente su Brahman, la Verità Suprema. Paragonata alla parte rituale, che consta di migliaia di pagine, è molto breve, a dimostrare che i desideri sono molti, ma la Verità, che è la base di tutto il resto, è soltanto Una.

Anche se Amma è un Maestro che ha realizzato il Sé, la maggior parte delle persone non Le chiede la conoscenza spirituale, al contrario, va da Lei con i suoi problemi e preoccupazioni quotidiane. Supponiamo che io non abbia preso trenta e lode all'esame, ma soltanto un ventotto: per me sarebbe stato importante essere il primo della classe, sebbene, in realtà, la mia vita non verrà danneggiata se sono solo il secondo. Ma se io esprimo il mio dispiacere ad Amma, Lei mi dimostrerà senz'altro la Sua simpatia e mi offrirà incoraggiamento e benedizioni per il futuro.

Talvolta, le persone vengono da Amma per dirLe che la loro mucca non produce abbastanza latte e Le chiedono di benedirla affinché ne dia di più, oppure qualcuno può dirLe: "Non c'è acqua nel mio pozzo, Amma, per favore aiutami". Ella darà loro della *vibhuti* (cenere sacra) dicendo di metterla nel cibo della mucca o nel pozzo. Anche se tali cose sono insignificanti dal punto di vista di un'anima che ha realizzato Dio, Amma sa che questi problemi sono molto reali per le persone che si trovano in quelle situazioni, e mette grande cura nell'ascoltarli e nel darvi soluzione.

Immaginate che al primo incontro, Amma ci avesse detto: "Tutto quello che desideri è *mithya* (impermanente) e solo Dio è permanente, perciò chiedi solo di realizzare Dio e io potrò aiutarti a raggiungerLo". La maggior parte di noi sarebbe fuggita di corsa! Tutti noi vogliamo che vengano soddisfatti i molti desideri che abbiamo. Continuando a venire da Amma per ottenere la realizzazione dei nostri desideri, siamo contemporaneamente anche toccati in modo sottile dall'amore incondizionato e dall'energia spirituale di Amma e, lentamente, cominceremo a rivolgerci alla spiritualità. In questo modo, vediamo che Amma è veramente una Scrittura vivente che funziona esattamente come i Veda: aiuterà coloro che vogliono raggiungere soltanto la Verità Suprema a realizzarLa, e coloro che hanno desideri terreni a concretizzarli (sempre che si tratti di scopi o mete giuste).

Amma afferma che dobbiamo adempiere ai compiti prescritti dalle Scritture, se vogliamo ricavarne il massimo beneficio: non è sufficiente leggerle come un quotidiano ma dobbiamo essere capaci di compiere i doveri e le responsabilità che ci hanno dato. Non è sempre facile adempiere a questi compiti a causa delle nostre preferenze e avversioni, però le Scritture insistono affinché li svolgiamo e ci assumiamo le nostre responsabilità. Qual'è il beneficio ottenuto dal seguire queste istruzioni? Eseguendo con fede i compiti prescritti dalle Scritture o assegnatici dal Guru, lentamente saremo in grado di trascendere ciò che ci piace e ciò che ci disgusta.

I Veda affermano: *"Satyam vada"*, che significa "Dite la verità". Se vogliamo seguire gli insegnamenti dei Veda, dovremo cercare di dire la verità anche se non sempre vogliamo o ci piace dirla: in questo modo riusciamo a superare la nostra tendenza a mentire quando ci conviene.

Seguire le istruzioni delle Scritture sarà sempre di beneficio per noi, che eludiamo le cose che non ci piacciono o che pensiamo che non ci piaceranno, rischiando di finire con evitare cose che potrebbero essere utili o valide, a causa della mancanza di una giusta comprensione.

Le Scritture hanno classificato tutte le possibili azioni in cinque tipologie principali e ci hanno dato differenti istruzioni relativamente a ciascuna di esse.

Il primo tipo di azione è detto *kamya karma*, ovvero le azioni che facciamo per esaudire i nostri molti desideri. Le Scritture non proibiscono questo primo tipo di azioni, ma ci ricordano che agire in questo modo non ci condurrà alla meta finale della Realizzazione del Sé. (I rituali indicati nella Karma Kanda rientrano nella categoria del kamya karma.)

Riguardo al kamya karma, Amma afferma che non c'è niente di sbagliato nell'agire per soddisfare i nostri desideri – finché tali azioni sono rette – ma che dobbiamo comprendere che questi desideri non ci daranno una felicità duratura e che potremmo anche non ottenere tutto quello che desideriamo.

Il secondo tipo di azioni è detto *nitya karma* e si applica alle nostre attività quotidiane e alle azioni o doveri che dobbiamo svolgere ogni giorno. Sono prescritti mantra perfino per azioni abitudinarie come lavarsi i denti, fare un bagno e mangiare, per aiutarci a ricordare che non è grazie al nostro potere che agiamo, ma grazie al potere di Brahman, il quale sostiene l'intero universo. Pensare in questo modo ci aiuterà anche a ricordare la meta spirituale della vita. Il nitya karma di coloro che hanno un Guru consiste nel seguire le Sue istruzioni circa le pratiche quotidiane. Amma ci suggerisce di ripetere il nostro mantra e di meditare ogni giorno, e, per quelle persone che hanno un'attitudine devozionale, anche di salmodiare i 108 Nomi o i 1000 Nomi della Madre Divina (di Dio, o della divinità preferita).

Le azioni che devono essere svolte in occasioni speciali sono dette *naimithika karma*. Vi è una speciale cerimonia per assegnare il nome ad un neonato, un rituale particolare per lo svezzamento eseguito con il primo boccone di cibo solido, un rituale per il primo compleanno del bambino, eccetera. Ogni anno dobbiamo offrire delle oblazioni alle anime dei defunti, ai nostri antenati. E ogni anno i Brahmini hanno una cerimonia nella quale abbandonano il vecchio cordoncino sacro e ne indossano uno nuovo. Vi sono molti rituali simili da svolgere in occasioni specifiche: questi sono solo alcuni esempi.

Amma ci chiede di aiutare e servire gli altri ogni volta che ne abbiamo l'opportunità e aggiunge che dovremmo creare occasioni per farlo qualora non si presentassero. Naturalmente, forse non si presenteranno le opportunità per servire gli altri ogni giorno, ma con un certo sforzo sapremo trovare certamente dei modi per portare aiuto: andando a visitare ad intervalli regolari gli ospedali, le case di riposo, gli orfanotrofi o altre istituzioni simili, e dando aiuto in qualunque modo sia necessario.

Inoltre, molte persone che non hanno l'opportunità di ripetere quotidianamente l'archana in gruppo, possono trovarsi con altri devoti una volta alla settimana o al mese per partecipare in gruppo all'archana, alla meditazione e ai bhajan. Questa forma di satsang, insieme al servizio disinteressato, può essere considerato come il naimithika karma dei figli di Amma.

Poi vi sono alcune azioni (*nishiddha karma*) che non devono mai essere fatte. Se analizziamo la nostra vita, scopriremo che, almeno occasionalmente, stiamo già facendo alcune delle azioni proibite dalle Scritture, le quali ci dicono di non mentire, non rubare, non danneggiare o odiare gli altri e di non ingannarli o sparlare di loro. Questo significa che stiamo rafforzando queste tendenze negative anziché accrescere le vibrazioni buone e positive che creiamo svolgendo i compiti prescritti dalle Scritture. Queste negatività a loro volta si trasformeranno in ostacoli durante le nostre pratiche spirituali.

Amma ci dice molto chiaramente che quando abbiamo cattive intenzioni nei confronti di una persona dobbiamo ricordarci che Amma dimora anche in lei. O quando ci arrabbiamo con qualcuno, dobbiamo cercare di pensare a qualcosa di buono che quella persona ha fatto per noi in passato. Amma ci dà questi consigli per allontanarci dal nishiddha karma, ovvero dalle azioni proibite dalle Scritture.

Infine, vi sono le azioni riparatrici che possiamo fare per annullare o ridurre gli effetti negativi che siamo destinati a sperimentare a causa delle azioni dannose compiute intenzionalmente. Queste azioni sono dette *prayaschitta karma*.

A seconda del tipo e della gravità dell'azione negativa, le Scritture descrivono diversi tipi di prayaschitta karma che includono rituali particolari, pratiche e oggetti specifici da dare in carità. Si dice, inoltre, che gli effetti negativi delle cattive azioni che abbiamo compiuto possono essere ridotti o eliminati eseguendo tapas sotto la guida di un Guru, o per grazia di Dio.

Esistono molti casi di devoti i quali hanno scoperto, attraverso la loro situazione astrologica, che in un particolare periodo della loro vita qualche tragedia si sarebbe abbattuta su di loro. Ovviamente questo incidente faceva parte del loro destino a causa di un'azione negativa commessa nel passato, in questa vita o in una precedente. In tali casi, Amma consiglia spesso una determinata pratica, come un digiuno o un voto di silenzio in un giorno particolare della settimana, per un certo numero di mesi o di anni. Se il devoto esegue fedelmente il prayaschitta karma secondo le istruzioni di Amma, il disastro può essere evitato.

Le Scritture ci chiedono inoltre di eseguire i *panchamahayagna* (cinque grandi sacrifici). Quando sentiamo la parola sacrificio, forse ci viene da pensare che significhi l'uccisione di un animale da offrire a Dio, ma in verità nel Sanatana Dharma il sacrificio non ha nulla a che vedere con l'uccidere, bensì, in questo contesto, esso significa condivisione. Noi sacrifichiamo il nostro confort e i desideri egoistici con lo scopo di sviluppare lo spirito di condivisione con tutti: con gli esseri umani tanto quanto con gli animali e le piante per aiutare a mantenere l'armonia nella natura e nel mondo.

Consciamente o no, tutti noi uccidiamo degli esseri viventi: infatti quando camminiamo, possiamo uccidere inavvertitamente degli insetti o qualche altra piccola creatura. Vi sono molti insetti che vivono nella corteccia della legna da ardere e che muoiono quando la usiamo per cucinare o scaldare la casa; quando una zanzara si posa su di noi la schiacciamo subito; dopo una corsa in autostrada, il nostro parabrezza è coperto di insetti morti e forse abbiamo anche ferito un cervo o travolto qualche altro animale. Nella nostra vita, abbiamo sicuramente ucciso molte creature senza averne l'intenzione e quindi le Scritture ci danno da eseguire cinque differenti tipi di *yagna*, sia per annullare gli effetti negativi delle azioni dannose che abbiamo compiuto inavvertitamente, che per esprimere gratitudine a Dio, ai cinque elementi, agli animali, agli altri esseri umani e agli antenati. La nostra vita è resa possibile solo grazie all'aiuto che riceviamo da queste cinque risorse.

Il primo yagna raccomandato dalle Scritture è *Brahma yagna* che consiste nell'apprendere (attraverso lo studio delle Scritture) ciò che concerne Brahman, o Dio, e nell'insegnare ad altri quello che abbiamo imparato. Il Brahma yagna è consigliato come un'espressione di gratitudine a Brahman, o Dio, al quale, come sorgente di ogni a cosa, dobbiamo la nostra esistenza. Non eseguiamo questo yagna per il bene di Dio: ricordare la nostra dipendenza da Lui può aiutarci a coltivare l'umiltà; condividere i valori morali e spirituali delineati nelle Scritture aiuta mantenere l'armonia nella società. In verità, Dio non vuole la nostra adorazione né ne ha bisogno, poiché è completo e perfetto. Amma dice che il sole, che dà luce al mondo intero, non ha bisogno dell'aiuto di una candela: di quale utilità potrebbe essere una candela per il sole? Nello stesso modo, Dio non ha bisogno della nostra adorazione: siamo noi ad averne bisogno, per il nostro stesso bene.

Nei tempi antichi, soltanto i Brahmini (la classe sacerdotale) erano autorizzati a compiere questo yagna perché soltanto loro potevano studiare le Scritture, ma molti dei figli di Amma compiono questa yagna ogni giorno, quando parlano di Amma con gli amici che incontrano. Poiché Amma è tutt'uno con Dio, parlare di Amma equivale a parlare veramente di Dio.

Il successivo yagna che le Scritture ci chiedono di eseguire è il *pitr yagna*, il rituale per i nostri antenati defunti. In India, il modo più comune per adempiere questo yagna è offrire ai corvi una ciotola di riso (o qualunque altro cibo solido) con l'intento che i nostri antenati defunti traggano beneficio dalle nostre preghiere e siano nutriti dal cibo che abbiamo offerto. Si può pensare che sia folle offrire del cibo ad una persona defunta che non potrà mangiarlo ma, secondo i Veda, gli spiriti dei morti, finché non prenderanno un nuovo corpo, esistono in un piano intermedio chiamato *pitr loka* (mondo dei defunti), dove possono sentire la fame e la sete senza essere in grado di soddisfarle da soli. Le vibrazioni sottili del cibo che offriamo è cibo per il loro corpo sottile, mentre le nostre preghiere incrementano il loro progresso spirituale e li aiutano ad ottenere una nascita più elevata.

Il pitr yagna con tutti i rituali descritti nei Veda è generalmente eseguito soltanto una volta all'anno, e ciò è infatti sufficiente, anche se alcune famiglie altamente ortodosse compiono questo rituale ogni mese. Noi eseguiamo questo yagna anche quando Amma, conducendo la Devi Puja o l'Atma Puja, ci chiede di pregare per la pace degli antenati defunti.

Il terzo yagna è il *deva yagna*. La tradizione del Sanatana Dharma assegna una divinità ad ogni singolo elemento e aspetto del creato, come la terra, l'aria, la parola, l'azione, la mente, l'intelligenza, eccetera, considerati differenti aspetti di un unico Dio, proprio come è la stessa elettricità a fornire energia ad apparecchiature diverse. Anche se Dio è uno solo, per andare incontro alle nostre varie esigenze quotidiane, quel potere si rende disponibile alla nostra mente attraverso vari nomi e forme, ciascuno dei quali ha differenti usi ed espressioni.

Le divinità venerate nel deva yagna sono quelle che presiedono alle forze della natura. Dalla natura noi riceviamo gratuitamente l'aria, l'acqua, la luce e la terra. Dobbiamo pagare il governo per l'acqua e l'elettricità, ma la natura non ci chiede nulla e poiché siamo debitori a queste forze naturali, è bene che, attraverso il deva yagna, esprimiamo la nostra gratitudine alle divinità che le presiedono.

Amma esegue il deva yagna per nostro conto, all'inizio di ogni Devi Puja, incorporando i cinque elementi in un recipiente che contiene acqua pura: la santifica con cenere sacra (simbolo della terra), ondeggia della canfora ardente (rappresentante il fuoco) mentre suona una campana (il suono simboleggia lo spazio). Infine Ella espira (rappresentando l'aria) nell'acqua immettendovi la Sua *prana shakti* (forza vitale).

Il quarto yagna è chiamato *bhuta yagna* e consiste nel servizio che rendiamo agli altri esseri viventi. In India, le mucche sono di solito accudite con particolare cura poiché sono considerate animali sacri, e tra le piante, è considerato sacro il *tulasi* (basilico), il quale riceve quotidianamente i rispetti delle famiglie devote. In molte case occidentali, vi sono uno o più animali domestici come gatti e cani; naturalmente non si possono aiutare tutti gli animali ed è sufficiente rendere un aiuto qualsiasi a un animale o a una pianta con cui veniamo in contatto. Le Scritture dicono che anche se non c'è un animale in casa, è sufficiente nutrire altri animali come uccelli, daini, bovini o scoiattoli, o innaffiare piante e aver cura di un albero. Molti animali hanno un ruolo determinato nel rendere possibile la nostra vita e per dimostrare in vari modi la nostra gratitudine e ripagare il debito verso altri esseri viventi, possiamo prenderci cura di uno o due animali o uccelli abbandonati o feriti, oppure lavorare per la protezione di una specie in pericolo. L'iniziativa internazionale GreenFriends di Amma fornisce ai Suoi figli un'opportunità di eseguire il bhuta yagna.

Infine c'è il *nara yagna*, il servizio agli esseri umani nostri simili, aiutando, senza aspettarci nulla in cambio, chiunque vediamo aver bisogno di un qualche aiuto. Quando incontriamo una persona anziana in difficoltà nell'attraversare la strada, aiutiamola! Lo spirito del nara yagna è il sacrificio, e qualunque azione fatta senza attendersi nulla è uno yagna. Aiutare una persona e non aspettarsi alcuna ricompensa, diventa un reale sacrificio – diventa yagna.

Molti figli di Amma sostengono, in un modo o nell'altro, le Sue attività caritatevoli. Eseguiamo nara yagna quando doniamo denaro o diamo assistenza alle istituzioni benefiche di Amma, come volontari nel progetto di costruzione di case in India (Amrita Kutiram) o nel Suo programma per nutrire i poveri (chiamato Mother's Kitchen negli Stati Uniti), o qualunque altro dei numerosi progetti fondati da Amma per alleviare la sofferenza dei poveri e dei bisognosi.

Lo scopo di tutte queste attività non è soltanto eseguire quello che le Scritture ci dicono di fare: tutti questi yagna sono a nostro beneficio. Quando svolgiamo questi compiti con sincerità, diventiamo più vasti e cresciamo spiritualmente; tuttavia non riceveremo il massimo beneficio se compiamo queste azioni come un obbligo, proprio come quando andiamo al lavoro solo perché dobbiamo. Per illustrare questo punto, Amma ci fornisce un buon esempio. Quando una persona fa una donazione ad un tempio, a qualche organizzazione caritatevole o spirituale, spesso vuole farlo sapere agli altri. Amma scherza sul fatto che se qualcuno dona anche solo una luce neon vorrà scriverci sopra "donato da eccetera, eccetera" e metà della luce che potremmo ricevere sarà bloccata dalla scritta stampata. Questo tipo di donazione è fatta, naturalmente, a scopo di aiuto, ma anche per ottenere gloria e fama. In tali casi chi dona pensa che donare qualcosa al tempio sia un atto di adorazione, ma in realtà non comprende il vero spirito dell'adorazione. Dobbiamo essere capaci di pensare che il denaro che doniamo ad una causa caritatevole o umanitaria ci è stato dato da Dio e che Glielo stiamo solo restituendo.

Qualunque cosa il Maestro ci consigli o ci istruisca di fare sarà in perfetto accordo con le Scritture. Abbiamo visto che Amma ha dato chiare istruzioni sui cinque tipi di azioni e i cinque grandi sacrifici che sono perfettamente in linea con le indicazioni delle Scritture. Non dobbiamo preoccuparci se ci dimentichiamo qualcuno dei cinque i tipi di azione o se non siamo in grado di memorizzare i cinque grandi sacrifici, poiché le Scritture affermano che seguire con sincerità le istruzioni di un Maestro compenserà ogni errore fatto nel seguire quelle delle Scritture.

Naturalmente, la mera conoscenza delle Scritture non è sufficiente. Amma afferma che per eliminare le nostre negatività e aggrapparci fermamente a Dio saranno necessarie sia la visione delle Scritture, sia la forza della pratica spirituale.

Capitolo 23

Spiritualità in azione

I riti devozionali non sono qualcosa da fare solo in particolari momenti o in certi giorni, proprio come sadhana (pratica spirituale) non vuol dire solamente meditazione e preghiera. Infatti, secondo le indicazioni di Amma, ogni singola azione della vita dovrebbe diventare una sadhana, altrimenti la nostra pratica spirituale resterebbe limitata solo alla meditazione del mattino o alle preghiere serali. Nel caso di Amma, perfino i giochi con i Suoi amici d'infanzia costituivano una sadhana. Quando aveva cinque o sei anni, Amma giocava nei dintorni dei canali con i Suoi amici e spesso faceva un gioco in cui tutti i bambini, a turno, andavano sott'acqua per dimostrare chi sarebbe stato capace di trattenere il respiro più a lungo. Il gioco decretava vincitore colui che sapeva restare sott'acqua di più. Amma s'immergeva con la ferma risoluzione di tornare in superficie soltanto dopo aver ripetuto il suo mantra un certo numero di volte – forse cento o centocinquanta – e talvolta stava sott'acqua anche per più di due minuti, tanto che gli altri bambini, a volte, temevano che fosse annegata. A tutti gli spettatori poteva sembrare che Amma stesse solo cercando di vincere il gioco, ma, in verità, Ella stava portando avanti la Sua pratica spirituale.

Giocavano anche a nascondino e qualche volta Amma si arrampicava su un albero, così che gli altri non potessero veder-La, e poi immaginava di essere il Signore Krishna e che tutti i Suoi amici fossero le *gopi* (piccole mandriane) e i *gopa* (piccoli mandriani), gli amici d'infanzia di Krishna; in questo modo Le era possibile pensare a Dio anche durante questo gioco.

Nel villaggio dove Amma è cresciuta, nessuno aveva l'acqua corrente in casa, perciò gli abitanti dovevano rifornirsi alla fontana pubblica che, per provvedere l'acqua, dipendeva da un mulino a vento attaccato al pozzo, poiché a quel tempo non c'era neppure una pompa. Se il vento soffiava, la ruota girava e si poteva avere l'acqua dalla fontana, ma senza vento non restava che aspettare. In quei casi, gli abitanti del villaggio, in coda davanti al pozzo, diventavano molto agitati e impazienti, camminavano avanti e indietro e a volte bestemmiavano addirittura a voce alta. Solo Amma, che aspettava di trasportare l'acqua per tutta la Sua famiglia, rimaneva tranquilla, usando quel tempo come un'opportunità per ricordare Dio, chiudendo gli occhi e ripetendo silenziosamente il Suo mantra. La Sua attitudine era tale da trasformare in pratica spirituale ogni cosa facesse.

Naturalmente, poiché è nata illuminata, Amma non aveva alcun bisogno di quella sadhana, agiva in tal modo solo per dare un esempio agli altri. Infatti, possiamo comportarci così anche noi per convertire in sadhana la maggior parte delle nostre attività quotidiane anziché dedicarvi solo una o due ore al giorno.

C'è un devoto che viene spesso all'ashram e che, ogni volta, si offre come volontario per pulire il terreno dell'ashram. Dopo che Amma ha dato il darshan a un grande numero di persone, infatti, per terra ci sono spesso disseminati gli involucri delle caramelle che Amma dà come prasad. Questo devoto trascorre ore raccogliendo a mano ogni pezzetto di carta. Una volta, un altro devoto che lo stava osservando gli offrì una scopa, dicendo: "Perché non usi una scopa? Farai più in fretta!". Il primo devoto sorrise e gentilmente rifiutò l'offerta: "Queste carte per terra non sono dei rifiuti per me, ma prasad di Amma – Ella le ha tenute una a una nelle Sue mani e perciò non posso scoparle via. Non m'importa quante ore dovrò impiegare per raccattarle tutte, mentre le raccolgo da terra, ricordo che ciascuna è stata toccata e benedetta da Amma".

Amma afferma che la spiritualità consiste in qualunque cosa detta, fatta e pensata nel modo giusto.

La durata della nostra vita è molto breve paragonata a quella dell'universo, perciò non dovremo dormire sugli allori pensando che avremo 60 o 80 anni per fare sadhana e raggiungere la nostra meta, perché in realtà non disponiamo di tutto questo tempo.

Passiamo dormendo almeno un terzo della nostra vita e quindi su possibili 80 anni, 27 se ne vanno così, e più di 25 tra giochi d'infanzia e occupazioni giovanili. La maggior parte delle persone lavora 8 ore al giorno per 40 anni ed ecco in aggiunta altri 13 anni durante i quali non possiamo veramente fare alcuna pratica spirituale. Altri 10 poi se ne vanno quando alla fine della vita diventiamo deboli e incapaci di sostenere lunghe ore di sadhana. Questo significa che, pur vivendo 80 anni, avremo davvero soltanto 5 anni per le nostre pratiche spirituali, durante i quali saremo certamente disturbati da molti problemi e distrazioni. Ecco la ragione per cui è così importante imparare a convertire in sadhana tutte le nostre azioni cercando di sviluppare un'attitudine che ci consenta di svolgerle come tali, anche se abbiamo la responsabilità di un coniuge, di figli o di un lavoro. Possono diventare una sadhana perfino le difficoltà della vita, se grazie ad esse sapremo ricordare Dio, proprio come faceva Amma che le considerava Suoi Guru.

La maniera più facile di trasformare le nostre azioni in sadhana è di agire con uno spirito di adorazione, vale a dire che, pur compiendo i nostri sforzi più sinceri, abbandoneremo poi i risultati delle nostre azioni ai piedi del Signore. Quando agiamo con questa comprensione, sappiamo di aver fatto del nostro meglio e che spetta a Dio determinare il risultato.

Le Scritture dicono che non saremo karmicamente legati dai risultati dell'azione se abbandoniamo qualunque cosa fatta ai piedi del Signore; in caso contrario, dovremo sperimentarne la reazione o il risultato. Ad esempio, se feriamo qualcuno o rubiamo qualcosa, la naturale conseguenza sarà di finire in prigione e anche se riuscissimo a sfuggire a tale punizione in questa vita, essa ritornerà certamente a noi in una nascita futura. Questa è la ragione per cui nel mondo vediamo tante persone soffrire, colpite da molti eventi sfortunati, anche se non hanno fatto nulla di sbagliato nella vita attuale. Responsabili sono le azioni che hanno compiuto nelle nascite precedenti: queste persone stanno semplicemente sperimentando i risultati di tali loro azioni.

La vita presente è una continuazione delle nostre vite già trascorse, perciò le conseguenze non ancora sperimentate delle nostre azioni passate saranno sperimentate prima o poi, adesso o in futuro. Ad esempio, coloro che nascono in circostanze molto difficili devono aver fatto qualcosa di negativo nelle vite passate per meritare una situazione tanto dolorosa, altrimenti dovremmo affermare che Dio è crudele. Naturalmente, questo non significa che le persone che stanno attraversando molte difficoltà nella vita debbano sentirsi colpevoli per aver compiuto azioni nocive o dannose in una vita passata, perché tutti abbiamo vissuto molte vite su questa terra, abbiamo compiuto molte azioni negative e naturalmente ne stiamo pagando i frutti: non saremo infallibili finché non realizzeremo il nostro Vero Sé.

In verità Dio è imparziale; è il nostro agire che torna a noi per reazione: questa è la Legge del Karma. Il risultato di un'azione, buona o cattiva che sia, compiuta con l'attitudine "Sono io che agisco" tornerà certamente a noi – non al nostro vicino! Tutti hanno un debito karmico che dovranno pagare. Mahatma come Amma possono naturalmente alleviare la nostra sofferenza rimovendo o riducendo le dimensioni del problema o dandoci la forza per sopportarlo, ma la cosa importante è fare del nostro meglio per non creare ulteriore prarabdha negativo. Ecco perché Amma ci ricorda sempre di fare molta attenzione a tutti i nostri pensieri, parole e azioni presenti, perché saranno essi a determinare le nostre esperienze future. Se in questa vita avete grande sofferenza, cercate di pensare che state esaurendo molto del vostro rimanente prarabdha.

La vita di ogni essere vivente è una continua lotta per ridurre il dolore e aumentare la felicità e talvolta, nel nostro sforzo di raggiungere una contentezza personale, inavvertitamente o intenzionalmente, causiamo sofferenza e dolore agli altri. Ogni essere vivente è circondato da un'aura, uno strato sottile sul quale sono registrati tutti i pensieri, parole e azioni: quando nasciamo portiamo con noi quest'aura che ci accompagnerà fin dopo la morte. In essa verrà registrato ogni dolore e ogni sofferenza che causeremo ad altri intenzionalmente e che, nel dovuto corso del tempo, ci porterà angoscia e sofferenza. D'altro canto, se le nostre azioni doneranno gioia e pace agli altri, esse sicuramente porteranno anche nella nostra vita più benedizioni e felicità. Ancora una volta questa è la Legge del Karma che rende la nostra vita simile a un pendolo che oscilla tra dolore e piacere.

Un ricercatore spirituale che voglia evadere dal ciclo di nascita e morte dovrà imparare a compiere ogni azione come un'offerta al Signore; infatti, per un aspirante spirituale attaccato al risultato, perfino la conseguenza di una buona azione potrà diventare una schiavitù. È come essere legati con una catena d'oro: che sia d'oro o di ferro, una catena è sempre una catena. Anche se abbiamo compiuto solo buone azioni, ma siamo ancora attaccati ai loro frutti, dovremo prendere una nuova nascita proprio per sperimentarne le conseguenze positive. Simili azioni, buone o cattive, ci legheranno sempre fino a quando saranno compiute con un senso di ego, in altre parole, "Io agisco". Compiere ogni azione con uno spirito di adorazione e abbandono è il solo modo per liberarci da questa schiavitù.

Naturalmente, possiamo offrire al Signore soltanto buone azioni: non possiamo commettere assassini o altri crimini pensando che offrendoGlieli sfuggiremo agli esiti delle nostre azioni. Se commettiamo cattive azioni, ne sperimenteremo le conseguenze. La vera adorazione consiste nell'offrire qualcosa a Dio senza aspettarci nulla: aspettarsi qualcosa in cambio non è vera adorazione, ma piuttosto una transazione d'affari, un mercanteggiare. Quando compiamo le nostre azioni come un'adorazione a Dio, ne accetteremo i risultati come fossero un Suo dono e non ci arrabbieremo di fronte a nessun risultato, perché sapremo accettarlo come dato da Dio. Generalmente ci sentiamo arrabbiati o depressi se una nostra azione non produce il risultato voluto, ma mantenendo un'attitudine di abbandono e accettazione non lo saremo, anche se il risultato non è conforme alle nostre aspettative. La giusta attitudine è: "Va bene Signore, mi hai dato il potere e l'energia per fare questa azione e, ora che l'ho ultimata, la offro ai Tuoi piedi senza chiedere nulla. Fammi accettare la Tua volontà qualunque sia". Con questo pensiero saremo in grado di affrontare con equanimità gli alti e i bassi della vita.

Nella *Bhagavad Gita*, il Signore Krishna dichiara:

karmaṇy evādhikāras te mā phaleṣu kadācana

Sei padrone soltanto delle tue azioni, non dei loro frutti.
(2.47)

Questo non significa che il Signore desideri che lavoriamo senza aspettarci una remunerazione. In questo verso Krishna spiega una delle leggi fondamentali della natura, impersonale come le leggi del moto di Newton, e afferma semplicemente che non abbiamo un completo controllo su tutti i fattori che condizionano il risultato della nostra azione e che essa, dunque, non avrà sempre gli sviluppi che supponiamo debba avere. A determinare il risultato sarà l'intelligenza universale, chiamata altrimenti Dio. Amma fa un bell'esempio. Supponiamo di prendere una manciata di semi e di pregare ardentemente Dio di farli germogliare mentre li teniamo nel palmo della mano. Perfino Dio onnipotente e la sincerità delle nostre preghiere non potranno nulla finché resteranno nella nostra mano. L'unica possibilità per farli germogliare è di piantarli in un terreno buono e fertile, ma ancora: c'è forse qualche garanzia che tutti i semi diventino piante o che ogni pianta dia lo stesso raccolto? I risultati sono imprevedibili poiché dipendono da molti fattori che sono fuori del nostro controllo e dunque la sola cosa che possiamo fare è piantare i semi. Quando il Signore dice che dobbiamo concentrarci sull'azione e lasciare il risultato a Dio, ci fornisce un consiglio pratico.

L'abbandono è un modo di vivere positivo, tutt'altro che pessimistico o fatalistico, poiché coltivare un'attitudine di abbandono e accettazione ci consentirà di conservare la nostra energia. Attualmente abbiamo la tendenza a rimuginare sopra tutto quello che va male nella vita, sprecando così molta di quell'energia e di quel tempo che potremo usare creativamente, accettando qualunque cosa accada con un'attitudine positiva, pensando che si tratta della volontà di Amma o di Dio.

Essendo figli di Amma, ci sarà facile nutrire un'attitudine di abbandono e accettazione, perché, se avremo dubbi o preoccupazioni, potremo sempre avere il Suo aiuto e la Sua guida. Senza un Maestro vivente è più difficile mantenere questo tipo di disposizione e non è possibile avere la guida direttamente da Dio, poiché non siamo abbastanza ricettivi per riceverla, anche se, ovviamente, è sempre qui per noi. In una situazione simile, un Maestro vivente, sceso al nostro livello, è una grande benedizione.

Ci sono delle ragioni se le Scritture dicono che non dobbiamo preoccuparci dei risultati delle nostre azioni. Una è che concentrandoci troppo sul risultato, potremo perdere l'ispirazione e l'entusiasmo, diventando tesi e perdendo, talvolta, perfino la forza per continuare nel nostro sforzo.

Dopo la laurea, venni convocato per un colloquio presso una compagnia farmaceutica dove avevo presentato una domanda di lavoro. L'addetto che mi stava interrogando mi faceva delle domande a cui ero in grado di rispondere molto facilmente, e io mi chiedevo perché quest'uomo mi facesse delle domande così facili. Mi ero aspettato domande difficili perché si trattava di un lavoro interessante e invece tutte le domande erano semplici, perciò cominciai a pensare che forse aveva già deciso di assumere uno degli altri candidati e il colloquio con me fosse soltanto una formalità. Il pensiero che, dopo tutto, avrei potuto non ottenere il lavoro, creò un tumulto nella mia mente.

All'improvviso l'intervistatore mi pose un quesito inaspettato: "In quale lato della rana è situato il cuore, in quello destro o in quello sinistro?". La domanda era davvero semplice: durante le lezioni di zoologia avevo sezionato e tracciato il sistema vascolare di una rana molte volte, perciò sapevo bene in quale lato si trovasse il suo cuore. Tuttavia in quel momento, con la mente divisa dalla preoccupazione che qualcun altro potesse avere il lavoro, pensavo già a cosa avrei dovuto fare nel caso non avessi ottenuto quel posto. Quando l'intervistatore fece la domanda, risposi sbagliando: "Si trova nel lato sinistro". Inutile dirlo, non ottenni il lavoro.

Perché non ero riuscito a rispondere a quella semplice domanda? Perché ero troppo preoccupato del risultato del colloquio. Ci capita spesso di svolgere mediocremente un compito perché siamo più focalizzati sul risultato che sull'incarico stesso. Ecco perché Amma ci dice di concentrarci maggiormente sull'azione presente che sul pensiero del risultato. Se nelle nostre azioni saremo più precisi e attenti, il futuro si prenderà cura di se stesso.

Qualora ci trovassimo in circostanze al di là del nostro controllo, dovremmo cercare di considerare la situazione come dataci da Dio, e essere sinceri nelle nostre responsabilità. In questo modo adoreremo Dio.

Ad esempio, un nostro dovere è quello di prenderci adeguata cura dei nostri figli senza risentirci con loro se non contraccambiano il nostro amore, ma cercando piuttosto di essere interessati soltanto all'adempimento del nostro compito e non al risultato dell'azione: questo è lo spirito di adorazione corretto.

Supponiamo che le molte responsabilità familiari non mi consentano di vivere con Amma nel Suo ashram in India, come vorrei. Ci sono molte persone con questo problema e a loro Amma dice: "Svolgete come adorazione qualunque dovere voi abbiate verso la vostra famiglia, considerando che vi è stata data da Amma e che Amma vi ha anche assegnato la responsabilità di averne cura. Questo equivale ad adorare Amma stessa".

Molti anni fa quando lavoravo in banca, volevo lasciare il mio impiego per restare all'ashram tutto il tempo, ma non potevo a causa di particolari impegni finanziari presi con la mia famiglia. Pensavo di sprecare il tempo lavorando in banca, ma Amma mi disse: "La tua attitudine non dovrebbe essere questa, dovresti cercare di amare il tuo lavoro. Immagina che sia io a mandare i clienti che arrivano da te. Servendoli con sincerità, onorerai Amma e non sprecherai il tuo tempo".

Quando vi trovate in una situazione spiacevole dalla quale non potete scappare, cercate di non arrabbiarvi con le circostanze, ma pensate che vi è stata data in quel momento da Amma, sforzatevi di rispondere alla situazione con sincerità e dedizione, ricordando che Amma vi sta plasmando in strumenti perfetti capaci di ricevere la Sua grazia proprio attraverso le diverse situazioni e circostanze. Svolgere le nostre azioni con uno spirito di adorazione e abbandono eliminerà alla fine l'ego e ci aiuterà a realizzare la nostra innata divinità, l'unità con la Verità Suprema.

Capitolo 24

Riconoscere un Mahatma

C'era una volta una domatrice di leoni di fama mondiale. Era in grado di fare coi più feroci felini degli esercizi che nessun altro artista di circo avesse mai tentato. A ogni suo viaggio un pubblico intimorito gremiva sempre l'arena meravigliandosi delle sue audaci prodezze.

Come prima cosa, per dimostrare la feroce natura del leone, faceva un cenno per farlo ruggire e agitarsi in modo che sembrasse pronto a saltarle addosso. Poi eseguiva una serie di esercizi per provare che non aveva affatto paura della belva, fino ad arrivare al culmine del suo numero: si metteva una caramella sulla lingua e lasciava che il leone la leccasse. Ogni volta che eseguiva questa pericolosa attrazione, la folla impazziva.

Una volta, a un suo spettacolo, tra la folla era presente il Mullah Nasruddin. La domatrice di leoni diede il via al suo numero e il pubblico cominciò a eccitarsi, applaudendo ogni volta che metteva alla prova i feroci leoni. Così, giunse il finale. Inginocchiandosi davanti alla più grande e aggressiva delle belve, si mise una caramella sulla lingua: il leone gentilmente la rimosse e la folla scoppiò in un grido di ammirazione per l'audacia della domatrice. All'improvviso si poté sentire sopra la voce della folla quella del Mullah che urlava: "È una bazzecola! Può farlo chiunque!". Sentendo il commento, la domatrice di leoni uscì dalla gabbia e si avvicinò al Mullah.

Lo sfidò, dicendo: "Chiunque potrebbe farlo, dici? Tu potresti davvero farlo?".

Il Mullah replicò: "Se ha potuto il leone, chiunque altro può!".

Il Mullah non aveva colto ciò che era evidente – paragonava se stesso al leone, anziché alla domatrice di leoni, e pensava che il leone non aveva avuto bisogno proprio di alcun coraggio per fare quello che aveva fatto.

Questa storia ci mostra come due persone possano guardare la stessa azione e vedere cose molto differenti. Tutto dipende dal nostro punto di vista. È per questo che alcuni possono ricevere il darshan di Amma e non cogliere la Sua grandezza, mentre molti altri vengono ispirati e trasformati.

Anni fa due aspiranti spirituali vennero all'ashram per incontrare Amma; avevano visitato molti ashram ma non erano stati colpiti dai guru che avevano incontrato, perciò, avendo sentito che Amma era un Maestro Realizzato, decisero di venirLa a trovare di persona.

In quegli anni, Amma aveva spesso delle ore libere durante il giorno e poteva fare molte cose per le quali ora non ha più tempo. Ogni giorno stava a lungo assorbita in samadhi, veniva spesso ad aiutare in cucina a preparare il cibo per i brahmachari e per i devoti e trascorreva anche del tempo giocando con i bambini del vicinato. Nel momento in cui queste due nuove persone arrivarono, Amma stava proprio giocando coi bambini del luogo, correndo avanti e indietro, urlando e ridendo.

Mi trovavo da una parte insieme ad alcuni brahmachari e ci godevamo la *lila* (gioco divino) di Amma, quando i nuovi arrivati si avvicinarono e mi posero alcune domande personali. Dissi loro che lavoravo in una banca vicina, ma che abitavo all'ashram. Gli uomini mi chiesero anche dove potessero trovare il Guru dell'ashram. "Eccola lì", dissi, indicando Amma.

"Intendi quella ragazza che gioca con i bambini?", mi chiese l'uomo con incredulità: a quel tempo Amma aveva circa venticinque anni e quando giocava con i bambini sembrava anche più giovane.

"Sì, sì", assicurai loro. "Lei è il nostro Guru". Dissi agli uomini che se avessero aspettato qualche minuto, avrebbero potuto incontrare Amma e ricevere il Suo darshan.

Gli uomini discussero qualcosa tra loro per uno o due minuti, ma poi se n'andarono senza dire più nulla.

Venti anni più tardi gli stessi uomini ritornarono all'ashram. Dopo aver chiesto di me, vennero nella mia stanza e mi domandarono: "Swamiji, si ricorda di noi?". Dovetti ammettere di no. Mi riportarono alla mente il breve incontro che avevamo avuto tanto tempo prima e mi spiegarono che vent'anni prima erano venuti con i loro preconcetti su come dovesse essere un Guru. Allora se ne erano andati pensando che Amma fosse semplicemente una ragazza qualunque poiché non si stava comportando come ritenevano dovesse fare un Guru. Col passare degli anni avevano sentito parlare di Amma sempre più e, alla fine, furono veramente convinti e ritornarono all'ashram.

Quando ebbero il darshan di Amma, scoppiarono entrambi in lacrime rendendosi conto di quanto fossero stati superficiali. Uno dei due pianse in modo incontrollabile per un bel po' di tempo, incapace di sopportare il suo errore.

C'è un vecchio proverbio sul sacro fiume Gange che sottolinea che, mentre molti attraversano l'India a piedi per bagnarsi nelle sue acque sacre, alcuni, che vivono sulle sue sponde, preferiscono farsi una doccia a casa propria. Nello stesso modo, questi due uomini si erano trovati vicini ad Amma in un periodo in cui avrebbero potuto ricevere da Lei molto tempo e attenzione personale, ma sfortunatamente in quel momento non erano stati in grado di riconoscere la Sua grandezza.

Un'altra cosa che Amma faceva spesso, quando aveva più tempo libero, era aiutare nei lavori di costruzione e di pulizia dell'ashram. A quel tempo, vivevamo in capanne con il tetto di foglie di palma intrecciate, che poteva sostenere una sola stagione delle forti piogge monsoniche, e così dovevamo sostituirlo ogni anno. I pochi brahmachari che risiedevano all'ashram a quei tempi non avevano mai vissuto in capanne prima di allora e non sapevano molto su come intrecciare un tetto di foglie di palma. Amma lavorava sempre con noi e guidava i nostri tentativi perché avevamo bisogno di essere controllati e diretti per fare i tetti nel modo veramente giusto.

Un giorno, mentre stavano sostituendo i tetti, arrivarono all'ashram altre due nuove persone che videro Amma lavorare con noi, mentre gridava a chi era occupato più lontano, dall'altra parte del cortile. I due nuovi arrivati La osservarono per un poco e, alla fine, se ne andarono senza avvicinarLa. A quel punto, Amma si girò verso alcuni di noi e commentò: "Sono venuti qui per cercare un Guru e si aspettavano di vederLo seduto con molta dignità su di un trono circondato da attendenti che Gli fanno vento e che Lo servono. Invece hanno trovato un Guru che svolge un lavoro manuale, col vestito sporco, che dà istruzioni urlando, così se ne sono andati, convinti che Amma sia solo una comune ragazza del villaggio. Se avessero avuto una reale sete di un Guru, sarebbero rimasti e avrebbero aspettato di incontrarmi. Comunque, torneranno quando sarà il momento giusto". Alcuni anni più tardi, quei due ritornarono e adesso sono ardenti devoti di Amma.

Ricordo una storiella che ci rammenta che non possiamo sempre trarre una conclusione esatta dalle apparenze. C'era un professore che stava compiendo uno studio sugli scarafaggi e che alla fine fu pronto a divulgare le sue scoperte attraverso una dimostrazione dal vivo. Mise uno scarafaggio su un tavolo e gli disse di correre. Lo scarafaggio cominciò a correre, ma, prima che finisse oltre il bordo, il professore lo prese, lo rimise nella posizione di partenza e gli strappò una zampa. Poi di nuovo lo lasciò libero sul tavolo incitandolo a correre e lo scarafaggio ubbidì. Lo recuperò di nuovo e gli staccò un'altra zampa. L'insetto era ancora in

grado di correre, e continuò a correre, ma poi solo a zoppicare e trascinarsi, man mano che, una alla volta, gli venivano strappate tutte le zampe. Infine, il professore gli staccò l'ultima zampa e gli ordinò ancora di correre. Questa volta lo scarafaggio non si mosse: come avrebbe potuto andare da qualche parte senza le zampe? Il professore sorridente guardò gli attenti spettatori per annunciare orgogliosamente la sua nuova rivoluzionaria scoperta: "Quando uno scarafaggio non ha zampe, non sente". Il professore aveva tratto una conclusione completamente sbagliata dalle sue osservazioni sul comportamento dello scarafaggio. Nello stesso modo si può osservare il comportamento di un Mahatma e non riuscire a riconoscerlo per quello che è veramente.

Quando incontriamo un Mahatma, dovremmo cercare di essere aperti e ricettivi senza giudicare le sue azioni esteriori. Non tutti quelli che vedono Amma possono riconoscere in Lei un Mahatma, non immediatamente, almeno. Coloro che sono stati in grado di individuare almeno una piccola parte della Sua grandezza sono davvero benedetti.

Capitolo 25

Suono, sguardo, tocco, pensiero: i metodi di iniziazione del Maestro

L'iniziazione a un mantra o a una pratica spirituale da parte di un Vero Maestro può accelerare molto il nostro progresso sul sentiero spirituale. Talvolta può dare risultati immediati ma, più spesso, questi saranno ben visibili dopo un certo periodo di tempo. La diksha (iniziazione) tramite un mantra è uno dei metodi di iniziazione più comuni, ma non meno importanti. Molti di noi hanno ricevuto mantra diksha da Amma. In base alla nostra sensibilità però, i Satguru possono iniziarci anche attraverso altri mezzi, se siamo ricettivi, con un semplice sguardo, per esempio, e questa iniziazione è chiamata nayana diksha, ossia iniziazione attraverso gli occhi.

Arrivò un giovane che incontrava Amma per la prima volta mentre Ella era in Devi Bhava. Egli non entrò nel tempio per avere il darshan ma attese fuori. Dopo pochi minuti di attesa, improvvisamente, cominciò a tremare, agitarsi e saltare come se avesse in mano un filo elettrico scoperto. Tutti gli altri devoti presero le distanze da lui, convinti che fosse posseduto.

Poi cominciò a parlare in modo insensato, come se stesse parlando a qualcuno che soltanto lui poteva vedere, e continuò così fino a quando, alla fine del Devi Bhava, Amma uscì dal tempio e lo trovò che stava ancora ripetendo parole confuse. Ella gli tappò la bocca con la mano e gli disse di non raccontare più quello che stava vedendo.

Poco dopo, egli ritornò nel suo stato normale di coscienza e raccontò che quando Amma lo aveva guardato, aveva sentito uno strano potere emanare da Lei fino ad arrivare dentro di lui e che poi aveva visto davanti a sé la forma di Kali. Aveva allora cercato di spiegare tutto questo, ma nessuno riuscì a capire quello che diceva, perché le sue parole erano molto confuse. Dopo questo fatto, il giovane, che a quel tempo era un impiegato d'ufficio, non fu in grado di lavorare per una intera settimana, come se si trovasse in un altro mondo; in quel periodo scrisse molti canti devozionali e inni filosofici. Ecco un esempio di nayana diksha (in seguito, Amma gli diede anche un'iniziazione con un mantra).

Un altro metodo di iniziazione è *sparsa diksha* (iniziazione attraverso il tocco). Alcune persone provano una specie di shock in tutto il corpo e sperimentano una trasformazione interiore nel momento in cui Amma le tocca: forse Amma benedice tutti quelli che vengono da Lei con questo tipo di iniziazione, senza che ne siano consapevoli. Amma afferma di seminare adesso i semi che germineranno e daranno frutti nella giusta stagione.

Vi è un altro tipo di iniziazione detto *pada diksha*, ossia l'iniziazione attraverso il tocco del piede, ma è molto rara. So di un'occasione in cui Amma ha dato una pada diksha anche se non è Sua consuetudine. Quando un certo devoto si avvicinò ad Amma per il darshan, Ella chiuse gli occhi; nessuno si aspettava quello che venne poi: mise il piede destro sul petto di questo devoto. Era la prima volta che vedevo Amma toccare un devoto con un piede, infatti, in tutti gli anni che ho passato con Lei non ho mai visto Amma agire in questo modo. Immediatamente il devoto balzò su e cominciò a tremare come attraversato da una forte corrente elettrica. Un altro devoto cercò di tenerlo, ma Amma disse: "Non disturbarlo, è in estasi. Lascialo fare quello che vuole". Continuò a scuotersi per venti minuti, poi si sdraiò sul pavimento. Amma raccontò di aver sentito una forte spinta a toccare questo devoto con un piede, poiché lui aveva pregato intensamente e per lungo tempo a tale scopo.

Kabir fu un grande santo nato nel nord India da una famiglia musulmana. Kabir aveva un forte desiderio di diventare discepolo di Ramananda, un famoso Maestro di quei tempi, ma era musulmano, e Ramananda indù.

A quel tempo, c'era una grande spaccatura tra le due religioni e i discepoli di Ramananda non potevano sopportare l'idea che un musulmano fosse iniziato tra loro, né la comunità musulmana avrebbe acconsentito che Kabir prendesse un'iniziazione da un Guru indù. Comunque Kabir era talmente deciso a ricevere l'iniziazione da Ramananda che alla fine elaborò un piano.

Kabir sapeva che Ramananda andava a bagnarsi nel fiume ogni giorno, prima dell'alba, e così un mattino si recò nell'area delle abluzioni prima dell'arrivo di Ramananda; si distese su uno dei molti gradini che portavano al sacro fiume Gange sapendo che il Guru non avrebbe potuto vederlo in quella posizione, poiché era ancora molto buio, e che così lo avrebbe accidentalmente calpestato. In India, se urtiamo inavvertitamente qualcuno con un piede, tocchiamo quella persona e portiamo la mano alla fronte in segno di rispetto e spesso esclamiamo: "Ram, Ram", oppure "Krishna, Krishna", proprio come negli Stati Uniti le persone dicono "Oops!".

Come previsto, mentre scendeva le scale, Ramananda calpestò Kabir e, comprendendo di aver calpestato un essere umano, chiese perdono invocando il nome di Dio. Nel momento in cui disse "Ram, Ram!", si trovava ancora sopra Kabir, che perciò considerò questa fortunata 'coincidenza' come un'iniziazione da parte di Ramananda: si inginocchiò ai Suoi piedi e si allontanò.

L'espediente di Kabir funzionò: egli era così devoto a Ramananda e al mantra "Ram" che aveva ricevuto da lui che alla fine ottenne la realizzazione del Sé. I suoi poemi in lode del potere del mantra e della grazia del Guru sono ancora oggi custoditi gelosamente in tutta l'India,

Vi è un altro tipo di iniziazione detta *smarana diksha*. Smarana significa pensiero o ricordo e per dare la smarana diksha è sufficiente che il Guru pensi al discepolo: questi riceverà l'iniziazione anche se si trova lontano dal Guru.

Molti anni fa, un devoto di Amma andò sull'Himalaya per salire il più in alto possibile sulle montagne in un viaggio a piedi di parecchi giorni. Camminando, passò davanti a una capanna e, poiché si stava facendo buio, pensò di chiedere il permesso di fermarsi per la notte. Quando bussò alla porta, però, non ci fu risposta. Attese per un po', ma nessuno venne ad aprire. Siccome non c'erano altre capanne nelle vicinanze, attese per dieci o quindici minuti e finalmente un giovane uscì dalla capanna e chiese al devoto che cosa volesse. Egli rispose che stava facendo un pellegrinaggio e che aveva bisogno di un posto in cui passare la notte. Il giovane rispose: "Sono solo, sei il benvenuto". Anche il giovane sembrava essere un aspirante spirituale: c'era una luce particolare sul suo volto. Infatti era così: dopo aver preparato un letto per il devoto, il giovane si sedette a meditare.

Il devoto era così stanco che si addormentò subito ma quando si svegliò, molte ore dopo, trovò il giovane ancora in meditazione. Più tardi, quel mattino, il devoto interrogò il giovane sulle sue pratiche spirituali e seppe che passava spesso cinque o sei ore di ininterrotta meditazione, seduto nella stessa posizione. Il devoto fu inoltre sorpreso di trovare nella capanna una piccola foto di Amma e, poiché a quel tempo Ella non era molto conosciuta in quei luoghi, si chiese come una foto di Amma fosse potuta arrivare in quell'area remota. Senza rivelare la sua identità di devoto di Amma, chiese al giovane di chi fosse quella fotografia. Il giovane rispose: "Un monaco fece visita all'ashram di Amma, nel sud India. Ebbe il darshan di Amma e ne fu molto impressionato, così comprò una Sua piccola foto. Quando arrivò qua, mi parlò di Lei e io ne fui così attratto, che lasciò la foto qui, per me".

Il giovane continuò: "Quella stessa notte, durante la meditazione, percepii la presenza di Amma: mi sussurrò un mantra all'orecchio e da quel momento io lo ripeto continuamente. Considero Amma il mio Guru, la mia meditazione è realmente migliorata dopo quella esperienza". Il devoto era molto impressionato da una pratica tanto intensa e quando ritornò ad Amritapuri raccontò ad Amma l'accaduto. Amma disse: "Io ho molti discepoli come questo negli angoli più lontani, li guido in tale modo perché io non posso andare da loro e loro non possono venire da me".

Mentre Amma era lontana in Europa, all'ashram un brahmachari era molto ammalato. Tutti, compreso lui stesso, pensavano che sarebbe morto. Egli piangeva e pregava. "Amma, Tu sei lontana in Europa, ma prima che io muoia, devo vederti in carne e ossa. Per favore, abbi pietà di me". Mentre ci trovavamo in Europa, ricevemmo una telefonata dall'India da parte di un brahmachari che ci informò della preghiera del malato. Amma rispose: "Non sta per morire, state certi che guarirà". Il brahmachari che ci aveva chiamato stava piangendo anch'egli, preoccupato per le condizioni dell'altro. Implorava Amma: "Per favore, dagli il Tuo darshan, ne sarebbe tanto felice, anche se morisse subito dopo".

Due giorni più tardi, un devoto stava per far ritorno in India dall'Europa e Amma gli chiese di portare una ghirlanda che Lei aveva indossato da consegnare al brahmachari ammalato. Dopo aver ricevuto la ghirlanda, il brahmachari cominciò a sentirsi meglio, proprio come Amma aveva profetizzato. La benedizione di Amma raggiunse il brahmachari attraverso la ghirlanda, poiché quello ero il solo modo con il quale Ella poteva andare da lui, considerato che non era abbastanza evoluto da poter vedere Amma in forma sottile.

Un Satguru userà per noi questi diversi tipi di iniziazione secondo la nostra ricettività e livello di crescita spirituale. Se il nostro livello di consapevolezza non è sottile abbastanza per ricevere l'iniziazione, il Maestro non lavorerà con noi in quel modo. Ecco perché Amma dice: "Usate il mantra che vi ho dato"; ora come ora le nostre menti non sono sottili. Anche sedendo in meditazione per mezz'ora, siamo forse in grado di concentrarci soltanto per pochi minuti e persino questo è molto, molto difficile. Finché non avremo una mente sottile e concentrata, sarà generalmente meglio focalizzarsi sui canti devozionali e sulla ripetizione del mantra. Dopo aver ricevuto un mantra da un Satguru, si stabilisce tra noi e il Guru una relazione personale: il mantra è il legame o vincolo che ci connette al Guru e che durerà finché non raggiungeremo la meta – finché non realizzeremo il Sé.

Amma afferma di avere con molti dei Suoi figli una connessione che proviene da una nascita precedente e che il solo scopo del Suo incarnarsi ripetutamente su questa terra è di aiutarci a realizzare la meta della vita umana. Ella non ha nulla da guadagnare poiché ha già ottenuto tutto quello che c'è da guadagnare. Siamo veramente fortunati ad essere stati iniziati da un Maestro spirituale come Amma!

Il mantra è come un veicolo che ci porta a destinazione più rapidamente di quanto accadrebbe se coprissimo a piedi l'intera distanza. Prima di ricevere un mantra, il nostro progresso spirituale era forse lento e instabile; quando prendiamo una mantra diksha, però, parte della prana shakti del Guru viene trasferita al discepolo e dunque, dopo aver ricevuto quella prana shakti, il nostro progresso spirituale accelererà in base allo sforzo che compiremo.

Qualcuno potrebbe chiedere: "Ripetere un mantra non è forse solo un altro pensiero nella mente? Allora, quando raggiungeremo lo stato privo di pensieri?".

Amma afferma: "Con il *japa* possiamo ridurre il numero dei pensieri. Quando mettiamo su un muro un segnale che dice 'Divieto di affissione', vogliamo evitare che sul muro venga scritto qualsiasi altro annuncio o disegno. Queste tre parole ci sbarazzano di centinaia di altre parole. Nello stesso modo, la ripetizione con concentrazione del nome di Dio riduce il numero degli altri pensieri nella mente".

Dovremmo continuare a dire il nostro mantra anche se ripetendolo non stiamo raggiungendo concentrazione, poiché Amma afferma che il suono del mantra contiene vibrazioni spirituali positive aventi un effetto benefico su di noi, indipendentemente dal nostro livello di concentrazione.

Quando un Satguru come Amma dà un mantra, è implicito nel Suo potente sankalpa che il mantra sia di beneficio al ricevente. Il Satguru si sta assumendo l'impegno di condurci alla meta finale dell'esistenza umana, ma per ricevere il massimo beneficio bisogna ricambiare o rispondere con impegno: dovremo, da parte nostra, ubbidire con fede alle istruzioni del Guru.

Capitolo 26

Amma e i Suoi tre modi per proteggerci

L'infinita compassione di Amma ci proteggerà in larga misura dal nostro destino che, come quello di tutti in questa vita, consiste nel soffrire a causa delle azioni commesse in passato. Secondo il tipo di prarabdha che è alla base dell'esperienza che saremo costretti ad attraversare, Ella ci proteggerà in tre modi differenti che variano da una completa protezione, a una protezione parziale che ridurrà la severità della sofferenza che dovremo sperimentare, fino a una protezione che ci darà la forza di affrontare l'esperienza. Nell'affrontare le diverse difficoltà della mia vita, ho personalmente sperimentato tutti e tre i tipi di aiuto.

Il primo fatto accadde una volta che Amma, accompagnata dai brahmachari, stava tenendo una serie di programmi nel nord del Kerala. Durante gli spostamenti da un luogo all'altro, ci fermavamo spesso al crepuscolo vicino a un fiume per bagnarci e nuotare. Poi, immersi nell'acqua fino alla cintola, cantavamo il Gayatri Mantra guidati da Amma, oppure, talvolta, ripetevamo i 1000 Nomi della Madre Divina e, infine, meditavamo e cantavamo i bhajan sulla riva mentre il sole tramontava. Poi, prima di continuare il nostro viaggio, Amma ci preparava il tè. Una sera, dopo che fummo usciti dal fiume, scoprii che avevo perduto la mia *mala* (rosario) nell'acqua e provai molto dispiacere perché me l'aveva data Amma, dopo averla benedetta. Pensai anche che questa perdita fosse un segno che stava per accadermi qualcosa di brutto. Appena scoprii che l'avevo persa, corsi da Amma per raccontarLe quello che era successo. Immediatamente Ella si tolse dal collo la Sua mala e me la diede. Ero felicissimo per questo dono inaspettato: quella mala era stata portata a lungo da Amma e inoltre aveva 108 grani anziché soltanto 54 come la mia. Non pensai più alla mala originale, anzi considerai che averla perduta era stata una cosa positiva. Continuammo il nostro viaggio e terminammo il tour.

Alcuni mesi dopo, stavo viaggiando in auto con altri due devoti, diretto nel Tamil Nadu per tenere i programmi di un mio tour. Ero seduto dietro al conducente e, sulla strada verso il primo programma, un camion sbandò nella corsia opposta e urtò ad alta velocità la nostra vettura: entrambe le porte dal lato del conducente furono ammaccate notevolmente e i vetri andarono in mille pezzi e si sparsero ovunque. L'autista del camion era naturalmente illeso, poiché era stato protetto da un veicolo molto solido, ma fu un vero miracolo che tutti e quattro i passeggeri della nostra automobile uscissimo sani e salvi, soprattutto vedendo le condizioni dell'auto dopo l'incidente.

Non appena potei, telefonai ad Amma per metterLa al corrente dell'accaduto e poi, giacché nessuno era rimasto ferito, continuai il tour come previsto e tornai all'ashram un mese dopo. Al mio ritorno, dopo alcuni giorni ebbi l'opportunità di incontrare Amma nella Sua stanza. Ella guardava intensamente la mala che mi aveva dato mentre, seduto vicino a lei, Le spiegavo i dettagli dell'incidente. Mi stavo domandando che cosa stesse facendo quando all'improvviso mi disse di restituirLe la mala. Rimasi scioccato dalla Sua richiesta, stetti in silenzio e non Gliela resi. Allora Ella mi chiese nuovamente di ridarGliela, ma io non volevo proprio e La supplicai con queste parole: "Amma non è bello chiedere indietro un regalo fatto! Hai così tante mala, perché vuoi proprio questa? Lasciamela, per favore".

Amma mi chiese di nuovo di restituirLe la mala. "La mala che ti ho dato è servita al suo scopo, non ne hai più bisogno". Comprendendo che Amma si riferiva all'incidente in macchina, Le restituii la mala. In cambio, me ne diede un'altra. Per proteggermi da un danno, naturalmente, Ella non aveva bisogno di darmi una mala o qualunque altro oggetto: il Suo semplice Sankalpa sarebbe stato sufficiente. Scelse di proteggermi da questo incidente e il dono della mala fu il modo spontaneo con cui trasferì la Sua protezione.

Il secondo tipo di aiuto o protezione che possiamo ricevere da un Satguru consiste in una protezione parziale o in una riduzione della gravità della sofferenza che dobbiamo sopportare. Molti anni addietro, ero solito guidare il bus dell'ashram. Un giorno, durante il tour del Tamil Nadu, ci trovavamo a Madras, quando entrai nella stanza di Amma per portarLe qualcosa. Ella notò subito un'eruzione sull'avambraccio che avevo teso verso di Lei e, dopo una pronta ispezione delle macchie rosse, mi disse che avevo contratto la varicella e che avrebbe cercato un altro autista per il resto del tour, perché voleva che tornassi immediatamente all'ashram. Aggiunse: "Non ti preoccupare, non soffrirai molto per questa malattia".

Quando il giorno dopo andai a salutarLa prima di partire per ritornare all'ashram di Amritapuri, Amma mi mostrò il Suo braccio dove c'era un'eruzione simile alla mia. "Vedi", disse, "ho preso su di me la tua varicella, perciò non avrai altre macchie rosse sul corpo".

Quindi tornai all'ashram mentre Amma e gli altri brahmachari completavano il tour. Nelle vicinanze dell'ashram, più o meno nello stesso periodo, altre persone contrassero la varicella e si coprirono di vesciche in tutto il corpo, mentre io non ebbi neppure una macchiolina in più dopo che Amma mi ebbe informato di aver preso la malattia su di Sé.

Nello stesso modo, Amma assume su di Sé le malattie di molte altre persone: in una sola giornata di darshan può accollarsi i problemi fisici di molti. Una volte le chiesi: "Amma, come puoi prendere su di Te così tante malattie e dolori? Non ti senti sopraffatta?". Amma rispose che così facendo è in grado di esaurire in meno di 10 minuti una malattia che potrebbe causare a qualcuno ben 10 anni di sofferenza, dissolvendone il relativo prarabdha.

Ognuno deve fare esperienza del risultato delle azioni che compie e dunque, di solito, sperimentiamo le conseguenze di un'azione che abbiamo fatto. Tuttavia, Mahatma come Amma possono prendere sul loro stesso corpo i risultati delle azioni negative di molti altri, esaurendone perciò il prarabdha e alleviando le relative sofferenze. Infatti, Amma ha detto perfino di poter bruciare in un solo istante nel fuoco della Sua Conoscenza[11] un prarabdha di qualsivoglia gravità e quantità.

Due anni fa, mi dovetti sottoporre ad un'operazione alle ginocchia. Amma mi aveva precedentemente informato che mi trovavo in un periodo negativo e che avrei dovuto fare attenzione alla mia salute, ma poiché non aveva specificato da quale tipo di problema avrei dovuto guardarmi, non me ne preoccupai e affidai il problema ad Amma, qualunque fosse. Poco dopo, un bel giorno cominciai a sentire un grande dolore alle ginocchia e quando informai Amma, Ella mi disse di andare immediatamente all'ospedale. Dopo la visita, i medici mi consigliarono di affrontare un'operazione correttiva, ma io ero spaventato anche se si trattava di un intervento minore, giacché nella mia vita non avevo mai avuto serie lesioni o disturbi.

Amma mi disse che avrei proprio dovuto affrontare un'operazione e così iniziai a ponderare l'idea. In quel periodo mi

---

[11] Amma si riferisce a *Brahmajnana*, Conoscenza dell'onnisciente, onnipotente e onnipervadente Brahman, substrato dell'universo. Ottenere questa Conoscenza significa divenire uno con Brahman.

trovavo negli Stati Uniti ed ero talmente turbato e spaventato dall'imminente operazione che chiamavo Amma quasi tutti i giorni, per pregarLa di aiutarmi in qualche modo a evitare l'intervento. Ella mi rassicurava ogni volta: "Non ti preoccupare, figlio mio, non aver paura, andrà tutto bene". Così arrivò il giorno previsto per l'operazione senza che le mie condizioni fossero migliorate, e perciò non mi rimase altra scelta che quella di farmi operare. Durante l'intervento non provai alcuna paura. In seguito, Amma mi disse che era stata con me durante l'operazione anche se non fui in grado di vederLa. In questo caso, Amma non mi aiutò nel modo che mi aspettavo, rimuovendo il problema, bensì dandomi il coraggio di affrontare l'esperienza con equanimità.

Vi racconto un esempio più avvincente: una volta, in Australia, un uomo con due bambini piccoli venne al darshan di Amma e Le confidò che sua moglie soffriva di un cancro allo stadio terminale, che vomitava sangue e sveniva spesso. Vedendo la madre in quelle condizioni, i due bambini, di cinque e sette anni, all'inizio avevano paura e scoppiavano a piangere, ma dopo aver incontrato Amma avevano sperimentato un cambiamento nel loro carattere. Il padre aveva raccontato loro che Amma da bambina accudiva gli ammalati e i vecchi, ed essi si sentirono ispirati dal Suo esempio tanto che, alla fine, vennero a patti con la situazione e cominciarono perfino a prendersi cura della madre, sostenendola quando collassava, portandole un bicchiere d'acqua e chiamando l'ambulanza, se necessario. Erano diventati molto forti e coraggiosi.

A proposito della moglie, l'uomo disse: "Voleva così tanto venire da Amma, ma non è abbastanza forte neppure per camminare, e così non ce l'ha fatta stasera". Quando Amma udì la loro storia, riversò su di loro un amore materno senza limiti: diede loro molta attenzione, volle sapere ogni più piccolo dettaglio delle loro vite, giocò coi bambini, si informò sui loro studi e li abbracciò ripetutamente. Amma era occupata a riversare amore su questa famiglia come se avesse a disposizione tutto il tempo del mondo e tanto da non lasciarla andare via, anche se tutto questo accadde durante un darshan in cui erano presenti mille persone o più. Alla fine, essi se ne andarono spiegando che la madre li stava aspettando a casa.

Andandosene, il padre disse: "Ora posso affrontare la sofferenza nella mia vita grazie alla forza e all'amore che Amma ha dato a me e ai miei figli per superare questa prova. Grazie, grazie mille". Con l'esempio della Sua stessa vita dapprima, e in seguito con l'amore e l'affetto dimostrato loro personalmente, Amma aiutò i membri di questa famiglia ad affrontare una situazione molto difficile. Anziché essere vinti dal dolore, furono in grado di aiutare la madre e di assisterla in ogni necessità.

Amma afferma che ci sono tre tipi di prarabdha. Il primo tipo è come una forma benigna di cancro, che può essere completamente rimosso attuando opere riparatrici come le pratiche spirituali e le buone azioni, congiuntamente alla grazia di Dio. Il secondo tipo di prarabdha può essere parzialmente rimosso anche se dovremo soffrire in qualche modo, come nel caso di un cancro che può essere curato ma che può ritornare in futuro. Il terzo tipo è come un tumore maligno che non può essere rimosso ma solo accettato. Questi tre tipi di prarabdha corrispondono ai tre tipi di aiuto che ci dà Amma. Nelle situazioni che sorgono dal terzo tipo di prarabdha (simile ad una forma maligna e incurabile di cancro), Amma lascia che il nostro prarabdha segua il suo corso, senza interferire; questo non vuol dire che ci stia abbandonando, ma, anzi, che ci sta donando la forza di affrontare con coraggio e serenità la situazione, ogniqualvolta non abbiamo altra scelta che sopportare un'esperienza dolorosa.

Capitolo 27

Amma è un Avatar?

Il Sanatana Dharma definisce come janma (nascita) la nascita nel mondo di ogni persona ma anche punarjanma (rinascita), poiché generalmente non si tratta della prima volta che essa viene al mondo, mentre usa il termine Avatar, Incarnazione, per quelle persone illuminate che prendono nascita grazie a un loro sankalpa, con lo scopo di aiutare gli altri.

In molte religioni, i credenti accettano soltanto una persona come Incarnazione di Dio. Il Sanatana Dharma, invece, è unico in questo senso poiché riconosce molte persone come Avatar e inoltre dichiara inequivocabilmente che Dio si manifesterà ovunque, in qualunque momento e in qualunque forma, armonizzandosi con la situazione prevalente nel tempo e la devozione dei devoti.

La parola sanscrita "avatar" deriva da *ava-tarati* – discendere, assumere un determinato corpo o un altro. Questo significa che Dio, il Senza Forma, scende al nostro livello, prendendo una forma umana nel mondo dei nomi e delle forme, al fine di guidarci lungo il sentiero spirituale e ristabilire il dharma necessario per il mantenimento dell'armonia e per la protezione del mondo.

Nella *Bhagavad Gita*, il Signore Krishna dichiara:

yadā yadā hi dharmasya glānir bhavati bhārata abhyutthānam adharmasya tadātmānaṁ sṛjāmy aham

Oh Arjuna, ogniqualvolta il dharma (giustizia) sia in declino e l'adharma (ingiustizia) accresca, Io Mi manifesto (assumo un corpo fisico). (4.7)

paritrāṇāya sādhūnāṁ vināśāya ca duṣkrtām
dharma-saṁsthāpanārthāya sambhavāmi yuge yuge

*Io nasco in ogni era per la protezione di quelli che si
attengono al dharma, per la distruzione di coloro che
seguono l'adharma e per ristabilire il dharma. (4.8)*

Quando tutto procede in modo armonioso non c'è bisogno
della venuta di un Avatar; il Signore viene solo quando prevalgono
caos e confusione. Per fare un esempio più familiare: la polizia
non sarà impiegata in un quartiere dove tutto è pacifico e non vi
sono disordini o conflitti, ma soltanto quando si presenterà un
problema.

Talvolta un pericolo turba il dharma e sconvolge l'armonia
del creato. Di solito la minaccia e la violazione provengono solo
dagli esseri umani, poiché piante e animali non disturbano l'armonia
del creato, vivendo le loro vite secondo l'istinto naturale.
Solo gli esseri umani violano questo ritmo cosmico spinti dalla
loro arroganza, dell'ego e dell'avidità di potere.

Quando il dharma è minacciato, il Signore si manifesta come
un Avatar. Il Signore s'incarnò nella forma umana di Rama per
uccidere il demone Ravana che aveva ricevuto il dono di non poter
essere distrutto da demone, dio o animale. Il Signore si manifestò
come essere umano perché era il solo modo per ucciderlo
e ristabilire il dharma di quel tempo, poiché Ravana non aveva
chiesto di essere protetto dagli uomini che reputava incapaci di
danneggiarlo.

In modo analogo, il demone Hiranyakasipu aveva ottenuto
la concessione di non poter essere ucciso da arma, essere umano
o animale, né di giorno, né di notte, né in terra, né in cielo, né
fuori, né dentro al suo palazzo. Per ucciderlo, il Signore dovette
incarnarsi nella forma di Narasimha, metà uomo e metà leone, e
attaccare Hiranyakasipu al tramonto (quando non era giorno, né

notte). Il Signore pose il demone sul Suo grembo, così che non si trovasse né in terra né in cielo, lo portò all'entrata del suo palazzo, in modo che non fosse né dentro né fuori, e lo uccise con i suoi artigli di leone (che tecnicamente non erano armi).

La nascita di un essere umano comune ha due ragioni. La prima è rappresentata dal suo prarabdha individuale e la seconda dal prarabdha collettivo del mondo, che consiste in grandi gruppi di prarabdha individuali. Un mondo abitato da persone buone e virtuose ha un buon prarabdha che si manifesta con pace e armonia; un mondo in cui ci sono molti individui iniqui che causano problemi agli altri, ha un cattivo prarabdha che risulta in violenza e disarmonia.

La nascita in questo mondo del Signore, o di un Maestro già Realizzato, non è dovuta al Suo prarabdha, ma al sankalpa messo in atto per aiutare il mondo. In realtà, i Maestri Realizzati non hanno alcun prarabdha individuale poiché esso sorge dal senso di essere l'agente delle azioni, o dal pensiero "Sono io che sto facendo". Gli esseri umani comuni identificano se stessi con il corpo, la mente e l'intelletto, piuttosto che con l'Atman. Questo errore è chiamato *avidya* (ignoranza) dal Sanatana Dharma. Ignorando il nostro Vero Sé, penseremo che "Io ho fatto questo e voglio ottenerne il frutto", ogniqualvolta compiremo un'azione, oppure, in alternativa, ci sentiremo colpevoli o addolorati di aver agito, dopo aver fatto qualcosa di sbagliato. In entrambi i casi, dovremo sperimentare le conseguenze delle nostre azioni.

In realtà, il Sé, o Atman, non fa nulla, è privo di azione: ecco perché i Maestri che hanno realizzato la loro unità con la Coscienza Suprema sanno di non fare nulla e che in loro presenza tutto accade semplicemente. Grazie a questa conoscenza essi non hanno la sensazione di agire individualmente e quindi non possono avere alcun prarabdha.

Allora, perché appaiono? Nei tempi antichi gli Avatar si manifestavano per uccidere i demoni e gli individui empi che avevano torturato e ucciso persone buone e innocenti. Quindi l'Avatar poteva essere considerato il risultato del buon prarabdha dei giusti allora in vita e, contemporaneamente, il cattivo prarabdha dei demoni e dei malvagi. Krishna e Rama erano dei re e il loro dharma era di proteggere la nazione da simili perfide persone. Il dharma di Amma, invece, è diverso da quello di un re: Ella considera Se stessa come la Madre di tutti gli esseri e non combatte contro qualcuno, come fecero Rama e Krishna, ma contro la malvagità che abbiamo dentro di noi, grazie al Suo amore e alla Sua compassione.

Secondo le Scritture, gli Avatar condividono certe caratteristiche. Queste Grandi Anime non nutrono odio nei confronti di nessuno, i loro insegnamenti sono universali, non rifiutano nemmeno il più grande peccatore, amano tutti con equanimità senza essere attaccati a nessuno, ispirano gli altri a seguire il loro esempio conducendo una vita virtuosa.

Qualcuno potrebbe chiedere: "Se Amma è un Avatar, perché non compie dei miracoli?"

In primo luogo, dobbiamo ricordare che una esibizione di poteri sovrumani non rappresenta una prova certa dell'identità di un Avatar. Alcuni Avatar mostrarono poteri sovrumani, come il Signore Krishna quando, ad esempio, sollevò il Monte Govardhana e lo sostenne per sette giorni con il suo solo dito mignolo sulle teste dei suoi amici d'infanzia, i *gopa* e le *gopi* (pastorelli e pastorelle), per proteggerli da una pioggia torrenziale e dai lampi.

Perfino da bambino, Krishna uccise molti demoni potenti. Anche il demone Ravana e tutti gli altri demoni descritti nei *Purana* esibirono poteri mistici o miracolosi. Altri Avatar come il Signore Rama, invece, non fecero uso di quel tipo di poteri sovrumani. Infatti, quando Sita fu rapita, Rama si mise a cercarla piangendo come una persona comune. L'esibizione di poteri mistici e occulti non può essere considerata una prova conclusiva nello stabilire che una persona è un Avatar.

A parte questo, coloro che chiedono perché Amma non faccia miracoli dimenticano la cosa più ovvia: tutta la vita di Amma è un miracolo. Diamo per scontate troppe cose. Negli ultimi trent'anni, Amma ha dato individualmente l'iniziazione con un mantra a milioni di persone, iniziato alla vita monastica migliaia di brahmachari e brahmacharini, e abbracciato fisicamente più di 24 milioni di persone. Spesso abbraccia 20.000 o più persone in un solo giorno e, quando viaggia in India, le cifre sono molto più grandi. Nell'ultima giornata di *Amritavarshan 50*, la celebrazione del Suo cinquantesimo compleanno, Amma è rimasta seduta per quasi 24 ore e ha abbracciato più di 45.000 persone, lasciando il palco, alla fine, non esausta, ma con un radioso sorriso sul volto. Quante persone potremmo abbracciare noi prima di crollare sfiniti? Inoltre, questo significa che Ella siede nello stesso posto per 15 o 20 ore al giorno. Per quante ore ci riusciamo noi? Una o due? Per tutto questo tempo, Ella non va neppure alla toilette.

Per migliaia di volte al giorno, il viso di Amma è così vicino a quello delle persone che appoggiano il capo sulla Sua spalla, che Lei respira perfino l'aria che espirano. Molti medici hanno affermato che se una persona comune facesse questo contrarrebbe terribili infezioni. Amma abbraccia le persone senza preoccuparsi della loro pulizia personale o dello stato di salute – non esita nemmeno ad abbracciare lebbrosi e persone affette da altri tipi di malattie contagiose della pelle. Inoltre, ogni persona che viene da Amma vuole aprire a Lei il proprio cuore pieno di problemi. Perfino un esperto psicologo può ascoltare i problemi di non più di 10 o 20 persone al giorno: Amma ascolta quotidianamente i problemi di migliaia di devoti ogni giorno e dimostra a ciascuno lo stesso amore e la medesima attenzione.

Molte persone hanno l'errata impressione che, una volta finito il darshan e ritirataSi nella Sua stanza, Amma si stenda a letto e dorma, ma la verità è che, anche nella Sua stanza, Ella è occupata come sempre, cercando di leggere tutte le lettere che riceve a centinaia ogni giorno. A differenza di altri Mahatma, le attività di Amma non sono confinate soltanto al campo spirituale, ma abbracciano i settori sociali, dell'istruzione, della salute, della tecnologia e delle problematiche ambientali. Ella dirige personalmente ciascun progetto umanitario e tutte le istituzione educative che il Suo ashram ha fondato. Alla fine della giornata, si riposa sul letto solo per una o due ore. Chi altri potrebbe dormire così poco e lavorare tanto?

La maggior parte delle persone lavora otto ore al giorno, cinque giorni alla settimana, e gode di vacanze per un periodo che va dalle due alle sei settimane all'anno. Amma lavora 20 ore al giorno o più e non Si concede mai un po' di riposo. Negli ultimi 30 anni, non ha mai preso un sol giorno di vacanza.

A Roma c'è una statua in bronzo di San Pietro il cui piede sinistro è toccato ogni giorno dai pellegrini e che, di conseguenza, è quasi completamente logorato. Che cosa accadrebbe a un essere umano che sostiene tutto il peso di milioni di persone, se solo il lieve tocco dei pellegrini può consumare una statua di bronzo?

Non abbiamo nemmeno cominciato a considerare quello che Amma ha realizzato a livello sociale. Non è forse un miracolo che questa donna non istruita abbia fondato negli ultimi 15 anni una tale vasta rete di istituzioni mediche, educative e sociali, indirizzate al servizio, senza alcun aiuto finanziario da parte del mondo degli affari, delle organizzazioni sociali internazionali, del governo, dei partiti politici o dei gruppi religiosi? In un mondo dove, generalmente, la donna ha un posto di secondo piano, Amma ha dimostrato con il Suo esempio che l'uomo e la donna sono ugualmente importanti per un reale progresso nella società, come entrambe le ali per un uccello.

Ci sono, naturalmente, le ben conosciute storie dei miracoli che Amma ha compiuto – dalla guarigione di Dattan il lebbroso attraverso la Sua saliva, alla trasformazione di una normale ciotola d'acqua in *panchamritam* (una miscela dolce di miele, latte, yogurt, burro chiarificato e zucchero candito) sufficiente per centinaia persone, all'uso di semplice acqua per tenere accesa una lampada a olio[12].

Qualunque affermazione sul futuro che io Le abbia sentito fare negli anni in cui sono stato con Lei si è sempre dimostrata veritiera, indipendentemente da quanto inverosimile sembrasse a quel tempo. Quando incontrai Amma, 27 anni fa, mi disse che nel futuro sarebbero arrivate da Lei persone da tutto il mondo e che avrebbe viaggiato ovunque, per guidare, consolare e confortare le persone, anche se a quel tempo non c'era nemmeno un brahmachari che stesse con lei. Non aveva neppure un tetto sulla testa, dormiva per terra, all'aperto, davanti alla casa della Sua famiglia. Come poteva sapere che, in futuro, intorno a Lei, sarebbe cresciuta una vasta rete di attività spirituali e umanitarie?

Se guardiamo attentamente la vita di Amma, non ci chiederemo nemmeno dove siano i miracoli, perché sono ovunque, in ogni aspetto della Sua vita. Ci vorrebbero dei volumi per elencare tutti i miracoli compiuti da Amma nella Sua vita. Ognuna dei milioni di persone che hanno incontrato Amma sarà in grado di raccontare le sue personali esperienze miracolose: trasformazioni del carattere, guarigioni di ferite interiori, "nuove prospettive di vita", e sì, anche l'inaspettata guarigione da una malattia. Si tratta di un'enciclopedia che non sarà mai scritta su carta – è scritta nei cuori dei figli di Amma.

---

[12] Per altri episodi del genere, fare riferimento a "*Sri Mata Amritanandamayi - Biografia*" di Swami Amritaswarupananda Puri, o a "*Correndo sul filo del rasoio*" di Swami Ramakrishnananda Puri.

Amma stessa ha detto: "Non sono interessata a mostrare dei miracoli per fabbricare credenti. Il mio scopo è di ispirare le persone con il desiderio della liberazione e della realizzazione del Sé Eterno. I miracoli sono illusori, non sono l'essenza della spiritualità e non solo: fatto un miracolo, ne domanderete sempre di più. Non sono qui per creare il desiderio, ma per rimuoverlo".

A volte, qualcuno realizza imprese sovrumane come coprire distanze straordinarie in bicicletta o restare su un solo piede per molte ore, ma esclusivamente per avere il proprio nome nel libro dei primati. Amma realizza un nuovo record mondiale ogni giorno, eppure non spreca nemmeno un pensiero su quello che gli altri dicono di Lei, perché non è per ricevere elogi che fa quello che fa, ma per il bene del mondo.

Una volta, un giornalista ha chiesto ad Amma: "Milioni di persone L'adorano come la Devi. Che cosa pensa di questo?".

Amma ha risposto: "Non penso niente. La gente che oggi mi chiama Devi, può chiamarmi Diavolo domani, ma non m'importa, io so chi sono. Non do importanza alle lodi o alle critiche, scorro come un fiume che la gente usa secondo la propria natura. Ci sarà chi si disseterà, chi si siederà sulle rive godendosi la fresca brezza, altri che faranno un bagno e alcuni che magari ci sputeranno dentro. Il fiume continua semplicemente a scorrere".

Amma ci dice di avere sempre avuto la profonda comprensione che tutto fosse Dio: in qualche occasione Ella ha rivelato di essere nata illuminata. Noi sappiamo anche che nessuno nella storia del mondo ha mai fatto quello che Amma ha fatto negli ultimi 30 anni e che nessuno ha mai realizzato quello che Lei ha realizzato. Eppure, nella Sua umiltà, Amma non ha mai detto di essere un Avatar. A questa domanda ognuno di noi risponderà da solo.

Capitolo 28

Siete voi che dovete accendere la luce: grazia e sforzo

Una volta, un devoto chiese: "Amma, se l'anima è la stessa in tutti noi, perché quando una persona realizza la Verità e di conseguenza il Sé, non ci realizziamo contemporaneamente anche noi?".

Amma diede una bella risposta: "Figlio, quando accendi l'interruttore principale di casa, l'elettricità raggiunge tutti i locali – il soggiorno, la cucina, le stanze da letto, ma dovrai fare lo sforzo di premere l'interruttore della tua camera se vorrai illuminare proprio la tua camera; nello steso modo, la luce interiore sarà rivelata solo a coloro che faranno lo sforzo di premere quell'interruttore".

Quindi, sta a noi fare la nostra parte, affrettandoci ad avanzare lungo il sentiero spirituale, eseguendo ogni giorno con sincerità le nostre pratiche spirituali, cercando di coltivare qualità divine quali la pazienza, l'accettazione, l'umiltà, l'amore e seguendo le istruzioni di Amma.

Non dovremmo mai scoraggiarci nel nostro impegno perché, come dice Amma: "La grazia di Dio è il fattore che governa tutti i nostri sforzi e rende dolci e complete tutte le nostre azioni".

C'è una storia meravigliosa che illustra i ruoli complementari che hanno i nostri sforzi e la grazia di Dio o del Guru. Con l'intento di incoraggiare i progressi al pianoforte del suo giovane figlio, una madre lo portò a un concerto dove si esibiva un pianista di fama mondiale. Dopo che si furono seduti, la madre individuò un'amica e si allontanò lungo il corridoio per andarla a salutare.

Afferrando al volo l'opportunità di esplorare le meraviglie della sala del concerto, il ragazzino si alzò e finì per addentrarsi oltre una porta su cui era scritto "vietato entrare". Quando le luci di sala si affievolirono e il concerto fu sul punto di iniziare, la madre tornò al suo posto e scoprì che suo figlio era scomparso.

Improvvisamente il sipario si aprì e i riflettori illuminarono sul palco l'imponente pianoforte. Con orrore, la madre vide il suo bambino seduto alla tastiera che suonava innocentemente "Nella vecchia fattoria" proprio nel momento in cui il grande maestro faceva la sua entrata in scena. Egli si avvicinò velocemente al piano e sussurrò all'orecchio del bambino: "Non smettere, continua a suonare".

Poi, piegandosi da un lato, allungò la mano sinistra e cominciò a suonare sui toni bassi e con la destra raggiunse l'altro lato del bambino e si associò alla sua musica. Il vecchio maestro insieme al giovane novizio trasformò una situazione critica in una meravigliosa esperienza creativa che ipnotizzò il pubblico.

Similmente, qualunque sia la situazione di vita in cui ci troviamo, per quanto bizzarra o disperata, per quanto sia arido lo spirito, possiamo riposare, sicuri che Amma sta sussurrando nelle profondità di noi stessi: "Non smettere, continua a suonare, non sei solo. Insieme trasformeremo i vecchi schemi in un capolavoro di arte creativa. Insieme incanteremo il mondo con il nostro canto".

Epilogo

L'amore del Maestro

"Amore e compassione non possono essere separati dal Maestro proprio come il profumo non sarà mai separato dal fiore, né la luce dal fuoco".

–Amma

Quando Amma lascia l'ashram, i lati della strada per cui passa sono sempre pieni di devoti. Mentre l'auto comincia a muoversi, Amma abbassa i finestrini e lancia da entrambi i lati delle caramelle come prasad per tutte le persone presenti, siano devoti in visita, residenti dell'ashram, o anche abitanti dei villaggi vicini coi loro figli.

Viaggiando in auto con Amma, una volta, notai che continuava a lanciare queste caramelle anche se lungo la strada non vi erano più devoti, ma solo gente del posto che non era interessata al Suo prasad. Infatti si limitavano a guardarLa e poi se ne andavano senza nemmeno raccogliere il prasad che Amma aveva lanciato. Allora Le dissi: "Tutti i devoti hanno raccolto il loro prasad e da questo punto in avanti ci sono soltanto abitanti del villaggio che escono a vedere quello che succede senza raccogliere il prasad che Tu stai offrendo".

"Non importa se non lo prendono", rispose Amma, "lo raccoglieranno i bambini che passeranno di qui. E se non lo faranno i bambini, lo mangerà qualche animale o le formiche. Non preoccuparti, non andrà sprecato". Amma desidera mostrarci il

Suo amore e il Suo affetto anche se non lo apprezziamo, perfino se non lo accettiamo. Amma ci darà sempre il massimo – tanto quanto consentirà il tempo. Recentemente, circa 14.000 persone sono venute per il darshan del primo Devi Bhava di Amma dopo il Suo ritorno in India dal tour negli Stati Uniti. Amma ha dato il darshan dalle sette e trenta della sera fino a quasi le dieci e mezzo del mattino successivo. Soltanto pochi giorni prima negli Stati Uniti, per l'ultimo Devi Bhava, il darshan era cominciato alle otto e trenta della sera ed era finito alle undici del mattino. Anziché terminare facilmente alle tre o quattro del mattino, dunque, Amma ha passato la stessa quantità di tempo con un numero inferiore di persone (la metà), preferendo dedicare più tempo a ciascuna di esse. Amma non pensa mai: "Oh! Qui c'è meno gente: potrò finire il darshan in fretta e riposarmi un po'". Se capitasse a noi una tale opportunità non ce la lasceremmo sfuggire, ma Amma non lo fa, non prende mai una scorciatoia. Ha un determinato ritmo che Le consente di abbracciare più di 1500 persone in un'ora, ma se dà il darshan a 750 persone non terminerà in mezz'ora: impiegherà lo stesso tempo che userebbe se vi fosse un numero di persone dieci volte maggiore, in modo da dare a ciascuna di esse quanto più tempo può.

Una volta, uno squilibrato venne al darshan di Amma con una bottiglietta in mano e, prima che capissimo quello che aveva in mente di fare, Gliela rovesciò in testa. Un liquido profumato schizzò sul capo e sul volto di Amma, fin dentro agli occhi. Gli altri devoti erano furiosi con l'uomo e volevano trascinarlo lontano, ma Ella li fermò affermando che era stato spinto dalla devozione. Non poteva neppure aprire gli occhi perché le sostanze chimiche del profumo bruciavano molto, eppure non era arrabbiata con lui, consapevole che l'uomo, nel suo squilibrio, non aveva capito che Amma avrebbe sofferto per quel gesto. Gli chiese perfino di sedere vicino a Lei e lo consolò poiché si sentiva davvero male per il suo errore.

Che cosa avremmo fatto noi, in una situazione simile? Vedendo l'infinita pazienza di Amma, mi ricordai una Sua affermazione: "Se accidentalmente ci mordiamo la lingua, non ci arrabbiamo con i denti e non li facciamo a pezzi! Sappiamo che lingua e denti ci appartengono e che ci sono utili. Similmente, Amma non considera nessuno separato da Lei e sente come Sua perfino la sofferenza di una formica o di una pianta".

Per il bene dei Suoi figli, Amma soffre molto ogni giorno. Numerose persone che vengono per il darshan stringono Amma così tanto da affondarLe le dita nella schiena o nelle spalle, eppure, Ella blocca sempre ogni tentativo di spostare quelle mani, spiegando che i devoti si sentirebbero tristi se non li lasciassimo abbracciare così forte. In altre occasioni, le persone si appoggiano con tutto il peso sulle ginocchia di Amma quando si alzano dal darshan, oppure Le schiacciano i piedi, o La tirano per il collo. Quando chiediamo ad Amma come possa sopportare tutti questi maltrattamenti, Ella risponde con una domanda: "Può arrabbiarsi una madre con il suo bambino se le pesta i piedi quando arriva correndo tra le sue braccia?". L'amore di Amma è infinito e incondizionato, sia che ci veda come figli, sia come il Suo Stesso Sé.

Il Suo amore, inoltre, non è limitato soltanto agli esseri umani. Amma stessa racconta una storia della sua infanzia che dimostra la profondità del Suo amore e della Sua compassione per tutte le creature.

Era molto giovane allora e, quel giorno, stava aspettando in fila di prendere l'acqua dalla fontana del villaggio, quando sentì improvvisamente il bisogno di far ritorno a casa. Senza neppure aspettare il proprio turno per riempire i recipienti, corse immediatamente a casa: anche da lontano poté scorgere una capra di proprietà della famiglia distesa a terra tra i suoi stessi escrementi, lamentandosi per il dolore e schiumando dalla bocca. Amma si precipitò dall'animale morente e lo accarezzò amorevolmente, sussurrandogli tenere parole all'orecchio; poi, si allontanò un poco e sedette in meditazione. Quando aprì gli occhi, Amma vide la capra che giaceva con la testa sul suo grembo: si era trascinata con grande difficoltà pur di coprire la distanza che la separava da Amma e raggiungere il luogo dove era seduta. Amma accarezzò nuovamente il muso della capra con grande amore e affetto e, dopo poco, essa morì. Il cuore di Amma si sciolse nel vedere il grande sforzo che la capra aveva fatto per raggiungerLa e, nella Sua infinita compassione, concesse la liberazione all'animale.

Per mezzo della Sua grazia, perfino alla capra del suo cortile fu concesso quello per cui l'umanità ha sempre lottato.

Vi è una grande differenza tra il nostro amore e quello di un Maestro: possiamo amare la nostra famiglia e gli amici, magari anche i vicini, ma non saremo mai in grado di amare tutti; c'è sempre, infatti, qualcuno che non ci piace o che addirittura odiamo. Noi stessi conosciamo i limiti del nostro amore.

Chiunque abbia incontrato Amma sa che il Suo amore è diverso e che accetta tutti noi così come siamo senza mai rifiutare nessuno. Amma non dirà mai a qualcuno: "Hai molti difetti e cattive abitudini. Prima rimuovi le tue negatività e poi torna da me". Spiega che se facesse così sarebbe come un fiume che dicesse a uno che sta per fare un bagno: "Non entrare nelle mie acque, sei sudicio e puzzi di sudore. Prima puliciti e poi vieni a bagnarti qui". Senza bagnarsi nel fiume come farebbe quella persona a ripulirsi?

Un devoto americano di Amma era famoso tra gli altri devoti per il suo temperamento collerico. Alcuni anni fa, stavamo camminando insieme nel frutteto dell'ashram di Amma a San Ramon, in California, quando notammo una donna sconosciuta che stava raccogliendo delle pesche dagli alberi per metterle in borsa. Teneva anche alcuni frutti in mano quando si avviò verso l'auto, e mentre camminava alcune pesche caddero e rotolarono giù per la strada. Quando vide questa scena, il devoto collerico rincorse i frutti, li raccolse, e li depose amorevolmente nella borsa della donna. Non potevo credere ai miei occhi, pur testimoniando la scena: una situazione simile accaduta nel passato avrebbe visto questo stesso devoto gridare e inseguire il "trasgressore" fino a fuori i terreni dell'ashram, mentre in quell'occasione la stessa persona stava rincorrendo le pesche giù per la collina, solo per restituirle alla donna che le aveva rubate! Quando, più tardi, lo interrogai, disse: "Oh, Swami, se questo fatto fosse accaduto qualche anno fa, avrei rimproverato duramente la donna per aver preso della frutta che non le apparteneva, ma dopo essere stato con Amma per così tanti anni, non posso agire diversamente".

È stato l'amore incondizionato di Amma che ha trasformato questo devoto e molti altri Suoi figli. Noi siamo stati amati dai nostri genitori, amici e coniugi, ma non siamo stati trasformati da quell'amore: è l'amore del Maestro che ci trasforma.

La forza delle nostre vecchie abitudini e vasana rende difficile mettere in pratica nella nostra vita le buone qualità, ma Amma è talmente paziente con noi e così amorevole che assicura di essere pronta a rinascere un qualunque numero di volte per il bene dei Suoi figli. Per di più, afferma che ci aiuterà non soltanto in questa vita, ma anche in tutte quelle future.

Una volta, ad Amritapuri, arrivai sul palco in anticipo per i bhajan serali. Sul palco vidi un vaso di terracotta posto davanti al *pitham* (bassa piattaforma dove Ella siede) di Amma. Chiesi al brahmachari che aveva allestito il palco: "Che cosa c'entra il vaso?". Mi rispose che si trattava delle ceneri di una devota di Amma che era recentemente trapassata. Provai disgusto al pensiero che le ceneri di una persona defunta fossero state messe vicino al posto dove Amma si sarebbe seduta. Cresciuto nella tradizione brahmina più ortodossa, non potevo sopportare di vedere un vaso contenente le ceneri di un morto vicino al pitham di Amma, che considero un tempio. Dunque chiesi al brahmachari di spostare il vaso da qualche altra parte, poiché non volevo toccarlo personalmente, ritenendolo impuro. Il brahmachari gentilmente rifiutò, dicendo: "Swamiji, Amma lo vuole sul palco".

"E allora puoi metterlo lontano, sullo sfondo della scena, e non di fronte al pitham di Amma!", dissi. Il brahmachari obbedì immediatamente.

Amma arrivò per i bhajan serali dopo pochi minuti e, dopo esserSi inchinata davanti ai devoti, rimase in piedi sul Suo pitham, anziché sederSi immediatamente, e cominciò a scrutare il palco. Quando individuò il vaso contenente le ceneri della devota, scese subito dal pitham, Si diresse verso il vaso, Si chinò, lo raccolse, Si girò e lo riportò al Suo pitham. Io ero sorpreso, anzi addirittura un po' scioccato che Amma dimostrasse tanto rispetto per quel vaso di ceneri: a causa della mia educazione ortodossa non potevo comprendere quel gesto.

Amma tenne il vaso vicino ai piedi per tutta la durata dei bhajan, addirittura aggiustandone la posizione, di tanto in tanto. Cominciai a sentire crescere l'agitazione e a sentirmi colpevole della mia reazione, pensando che dovesse trattarsi delle ceneri di una grande devota. Dopo i bhajan, Amma Si alzò sul Suo pitham e Si chinò per prendere il vaso. Nel frattempo la mia attitudine era del tutto cambiata: provavo rimorso per i sentimenti che avevo avuto nei confronti delle ceneri, così mi alzai immediatamente e andai a prendere il vaso per passarlo ad Amma ma, prima che potessi toccarlo, Amma mi fermò e mi chiese in tono serio: "Perché lo tocchi, adesso? Non toccarlo!" Mi sentii come se un martello mi avesse picchiato sulla testa, cercai ancora una volta di aiutare Amma a sollevare il vaso, ma non me lo lasciò fare. Prendendo

il vaso da sola, lasciò il palco e cominciò a camminare verso la spiaggia per immergere le ceneri nell'oceano.

Intanto continuavo a sentirmi malissimo, pensavo di avere mancato di rispetto agli ultimi resti di una grande devota: chiesi scusa ad Amma e cercai di camminarLe a fianco, ma Lei mi disse di non seguirla e continuò ad andare.

Poco tempo dopo, ebbi un'opportunità di parlare con Amma: mi scusai ancora e Le chiesi di chi fossero le ceneri nel vaso.

Amma disse che erano quelle di un'anziana devota che aveva a lungo accarezzato il sogno di eseguire la pada puja ad Amma; purtroppo prima di averne l'occasione, Amma era partita per il Suo tour degli Stati Uniti. L'anziana donna si consolò pensando di poterla fare al ritorno di Amma dal Suo tour, ma il destino fu tale che morì prima del ritorno di Amma in India. Alcuni giorni dopo il Suo rientro, il figlio della donna venne all'ashram portando le ceneri e raccontò ad Amma che l'ultimo desiderio di sua madre morente era stato quello di lavarLe i piedi nella cerimonia della pada puja. Egli chiese ad Amma di benedire l'anima della madre.

Non appena Amma apprese questo, afferrò il vaso e lo tenne vicino al Suo cuore, gli occhi chiusi per alcuni minuti e poi gli disse di mettere il vaso sul palco durante i bhajan della sera. Non dimenticò di chiedere a un brahmachari di assicurarsi che le ceneri dell'anziana donna fossero sul palco, nonostante in quel giorno particolare fosse stata molto occupata a dare il darshan e a ricevere successivamente molti dignitari. Durante i bhajan, Amma tenne il vaso vicino ai Suoi piedi, immaginando che la donna Le stesse facendo la pada puja.

"Che devota fortunata", pensai tra me. "Che Maestro compassionevole".

Lascio a voi considerare la profondità dell'amore incondizionato di Amma: Ella avrebbe potuto semplicemente benedire le ceneri della madre e chiedere al figlio di immergerle nell'oceano.

Invece, ha tenuto il vaso con Sé dimostrando così tanto rispetto e amore per le ceneri di questa devota, da portarle personalmente nell'oceano. Questo dimostra che Amma è pronta a esaudire i nostri desideri perfino dopo che lasciamo il corpo. Ecco la ragione per cui Amma dice: "La vostra madre biologica può aver cura delle cose che vi servono in questa vita, ma Amma si occuperà dei vostri bisogni attuali e anche di quelli di tutte le vostre vite future".

È soltanto l'amore di una Madre per i Suoi figli che tiene Amma nel Suo corpo perché, in verità, Ella potrebbe abbandonarlo quando vuole. Molti anni fa, un giorno, stavo parlando con Amma, quando notai un insetto che strisciava sulla Sua testa e che scomparve dalla vista, tra i capelli, mentre cercavo di allontanarlo. Preoccupato che l'insetto potesse morderLa o pungerLa, misi le dita tra i Suoi capelli e rimasi sorpreso di sentire, proprio sulla sommità del capo, un punto molto soffice. Era così soffice che pensai che mancasse un pezzo di cranio; allora, solo per assicurarmi che tutto fosse a posto, cercai di toccare nuovamente quel punto sulla cima della testa.

In quel momento, Amma mi spostò la mano e disse: "Che cosa stai facendo?".

Risposi: "Amma, c'è qualcosa che non va nella Tua testa, penso che Ti manchi un pezzo di cranio".

Amma replicò: "Non essere sciocco. Non c'è niente che non vada nel mio cranio".

"Ma come, Amma?", chiesi. "Il mio cranio è duro come una roccia".

Scherzando, Amma mi picchiettò la testa, aggiungendo: "Io lo renderò soffice per te". Poi, parlando seriamente, disse: "Quello è il punto da cui gli yogi ritirano la loro forza vitale quando escono da questo mondo. (Si riferiva al *Brahmarandra*). Possono farlo quando vogliono e lasciare così il corpo". Mi sentii proprio stupido, ma rimasi stupefatto dalla risposta di Amma. L'avevo letto su alcuni libri, ma fino a quel momento non ne avevo mai avuto alcuna prova. Ciò dimostra che Amma può lasciare il corpo quando vuole e che a trattenerLa nel corpo è soltanto il Suo straripante amore e la Sua compassione per noi, per aiutare i Suoi figli a superare i loro problemi e a realizzare lo scopo dell'esistenza umana.

Amma sta offrendo a tutti noi il Suo amore, che è capace di guarire ogni ferita interiore e trasformare proprio tutti. Cerchiamo di essere ricettivi all'amore di Amma: più saremo aperti, più ne verremo trasformati.

Glossario

adharma – ingiustizia. La deviazione dall'armonia naturale.

ahamkara – ego o "il senso di un'esistenza separata dal resto dell'universo".

Amrita Kutiram – progetto per la costruzione di case del Mata Amritanandamayi Math per famiglie molto povere, che conta già più di 30.000 case costruite e consegnate in tutta l'India.

Amritapuri – centro internazionale del Mata Amritanandamayi Math, sito in Kerala, nel luogo di nascita di Amma.

arati – la normale conclusione di una cerimonia di adorazione, consistente nell'ondeggiare della canfora che brucia davanti all'immagine della divinità.

archana – di solito si riferisce alla ripetizione dei 108 o 1000 nomi di una particolare divinità (ad esempio *Lalita Sahasranama*).

Arjuna – il grande arciere che è uno degli eroi del poema epico *Mahabharata,* al quale si rivolge Krishna nella *Bhagavad Gita.*

ashram – "Luogo d'impegno." Un luogo in cui aspiranti e ricercatori conducono una vita spirituale e compiono prati-che spirituali. È generalmente la residenza di un maestro spirituale.

Ashtavakra Gita – il "Canto di Ashtavakra". Il dialogo tra il re Janaka e il maestro Ashtavakra su come raggiungere la Conoscenza del Sé.

Atman – il Sé, o Coscienza.

Aum – (anche "Om") secondo le Scritture vediche, il suono primordiale dell'universo e seme della creazione. Tutti i suoni nascono dall'Om e si dissolvono in Om.

Avatar – Incarnazione Divina; dalla radice sanscrita "*ava-tarati*" che significa "discendere".

avidya – ignoranza, la causa primaria di tutta la sofferenza.

Ayappa – la divinità considerata un'Incarnazione del Signore Shiva e del Signore Vishnu che presiede al tempio di Sabarimala in Kerala.

Bhagavad Gita – il "Canto del Signore". Gli insegnamenti che il Signore Krishna diede ad Arjuna all'inizio della Guerra del Mahabharata. Si tratta di una guida pratica per affrontare qualunque crisi nella vita personale o sociale, ed è l'essenza della saggezza vedica.

bhajan – canto devozionale.

bhakti – devozione, servizio e amore per il Signore.

bhava – stato d'animo o attitudine (*vedi Devi Bhava*).

bhiksha – elemosina.

Bhishma – il patriarca dei Pandava e Kaurava, campione del dharma e solidale con i vittoriosi Pandava, sebbene schierato dalla parte dei Kaurava, durante la guerra del Mahabharata.

bhogi – chi gode dei piaceri dei sensi.

bhuta yagna – proteggere e servire gli esseri viventi.

Brahma yagna – studio del Sé, pratica e insegnamento delle sacre Scritture.

Brahmarandra – apertura sottile sulla sommità del capo attraverso al quale lo yogi ritira la sua forza vitale nel momento della morte fisica.

brahmachari – discepolo maschio celibe che pratica le discipline spirituali sotto la guida di un Maestro (brahmacharini è l'equivalente femminile).

Brahman – la Verità Suprema al di là di tutti gli attributi, ma anche il substrato onnisciente, onnipotente e onnipresente dell'universo.

Brahmajnana – Conoscenza di (diretta esperienza di unità con) Brahman.

Brahmasthanam (tempio) – templi particolari nati dall'intuizione divina di Amma, aperti ai membri di tutte le religioni. L'icona centrale sottolinea l'inerente unità dei molti aspetti del Divino attraverso quattro facce rappresentanti Ganesha, Shiva, Devi e il Serpente. Al presente ci sono sedici templi del genere in India e uno alle Mauritius.

Brahmino – colui che appartiene alla classe sacerdotale indiana.

Daksha – uno dei *prajapati* (progenitori) del genere umano, padre di Sati, sposa di Shiva.

darshan – udienza di una persona santa o visione del Divino.

deva – esseri celesti.

deva yagna – adorazione delle divinità che presiedono gli elementi della natura.

Devi – Dea, la Madre Divina.

Devi Bhava – "lo stato divino della Devi". Stato nel quale Amma rivela la Sua unità e identità con la Madre Divina.

dharma – "ciò che sostiene (il creato)". Secondo il significato sanscrito, la parola indica più comunemente l'armonia dell'universo. Altri significati: giustizia, dovere, responsabilità.

dhiksa – iniziazione, trasferimento del seme del potere spirituale (in forma sottile) dal Guru al discepolo.

Gayatri mantra – mantra col quale una persona è iniziata quando diviene qualificata a essere un brahmino e quindi autorizzata a condurre vari yagna.

gopa – piccoli mandriani, amici d'infanzia di Krishna.

gopi – lattaie che vissero a Brindavan, città d'infanzia di Krishna e che erano Sue ardenti devote: rappresentano l'amore più intenso per Dio.

Hiranyakasipu – il demone che aveva ricevuto il favore di non poter essere ucciso da alcuna arma, essere umano o animale, né di giorno né di notte, né in terra, né in cielo, né dentro né fuori il suo palazzo. Per aggirare il potere di questa concessione, il Signore si incarnò nella forma di Narasimha, mezzo uomo e mezzo leone, tenne Hiranyakasipu nel suo grembo e lo uccise al crepuscolo con i suoi artigli, mentre era seduto sulla soglia del palazzo.

irumudi – fagotto pieno di noci di cocco, burro chiarificato e riso, portato sul capo dai devoti del Signore Ayappa nel loro pellegrinaggio a Sabarimala.

janma – nascita.

japa – ripetizione di un mantra.

jivanmukti – liberazione mentre si vive ancora in un corpo.

Jnani – chi ha realizzato Dio o il Sé e conosce la Verità.

karma – le azioni coscienti, ma anche la catena degli effetti prodotta dalle nostre azioni.

Kaurava – i 100 figli del re Dhritharasthra e della regina Gandhari, di cui il più vecchio era l'iniquo Duryodhana. I Kaurava erano i nemici dei loro cugini, i virtuosi Pandava, contro i quali combatterono nella Guerra del Mahabharata.

Krishna – la principale incarnazione di Vishnu. Nato da famiglia reale, fu allevato da genitori adottivi e visse come giovane mandriano a Brindavan, dove fu amato e adorato dai suoi devoti compagni, gopi e gopa. In seguito Krishna fondò la città di Dwaraka. Fu amico e consigliere dei Suoi cugini, i Pandava, e specialmente di Arjuna, che aiutò come auriga durante la guerra del Mahabharata e al quale rivelò i Suoi insegnamenti conosciuti come *Bhagavad Gita.*

Krishna Bhava – "Lo stato divino di Krishna". Lo stato in cui Amma rivelava la Sua unità e identità con Krishna. Inizialmente, Amma era solita dare il Krishna Bhava immediatamente prima di dare il darshan del Devi Bhava, e in quello stato non si identificava con i problemi dei devoti che venivano da Lei per il darshan, ma rimaneva distaccata come un testimone. In seguito, nel 1985, decidendo che le persone del mondo moderno avevano bisogno soprattutto dell'amore e della compassione di Dio nella forma di Madre Divina, smise di dare il darshan in Krishna Bhava.

Lalita Sahasranama – i 1000 nomi della Madre Divina ripetuti quotidianamente negli ashram e nei centri di Amma e dai devoti, in gruppo o individualmente.

lila – gioco divino.

Mahatma – letteralmente, "Grande Anima". In questo libro il termine viene usato per indicare chi risiede nella Conoscenza di unità con il Sé Universale, o Atman, sebbene questo termine sia usato anche con significati più estesi.

Mahabharata – uno dei due grandi poemi epici indiani insieme al *Ramayana*. È un grande trattato sul dharma la cui storia racconta soprattutto il conflitto tra i virtuosi Pandava e i malvagi Kaurava e la grande battaglia di Kurukshetra. Scritto intorno al 3200 a.C. dal saggio Vyasa, con i suoi 100.000 versi è il più lungo poema epico al mondo.

mala – rosario.

mantra diksha – iniziazione con un mantra.

Mata Amritanandamayi Devi – il nome monastico ufficiale di Amma, significante "Madre di Immortale Beatitudine", spesso preceduto da *Sri* per denotarne il buon auspicio.

mahati vinashti – riferito alla mancata realizzazione del Sé durante la vita, significa letteralmente "la grande perdita".

mithya – ciò che muta, quindi l'impermanente; ma anche, illusorio o non vero. Secondo il Vedanta, l'intero mondo è mithya.

naimithika karma – i rituali che dovrebbero essere eseguiti in speciali occasioni quali il matrimonio, la morte, ecc.

Narasimha – l'incarnazione di Vishnu, metà leone, metà uomo (*vedi Hiranyakasipu*).

nara yagna – il servizio agli esseri umani.

nayana diksha – iniziazione attraverso lo sguardo.

nishiddha karma – azioni proibite dalle Scritture.

nitya karma – azioni da compiere quotidianamente, secondo le ingiunzioni scritturali.

Om Amriteswaryai Namah – il mantra che i devoti usano per Amma e che significa "Omaggi alla Dea dell'Immortalità (Amma)".

Om Namah Shivaya – il potente mantra che significa "M'inchino all'Uno eternamente di Buon Auspicio".

pada puja – lavaggio cerimoniale dei piedi del Guru o dei Suoi sandali, per dimostrare amore e rispetto; usualmente consiste nel versare acqua pura, yogurt, burro chiarificato, miele e acqua di rose.

pada diksha – iniziazione con un tocco del piede.

panchamahayagna – i cinque grandi sacrifici che chi vive nel mondo dovrebbe osservare quotidianamente per ripagare il proprio debito verso la natura e le forze naturali.

panchamritam – miscela dolce di miele, latte, yogurt, burro chiarificato e zucchero.

Pandava – i cinque figli di Re Pandu, eroi del poema epico *Mahabharata*.

Parvati – la consorte del Signore Shiva.

pitham – la piattaforma dove siede il Guru.

pitr yagna – i rituali compiuti per gli antenati non più in vita.

pitr loka – il mondo dei defunti.

prarabdha – i frutti delle azioni delle vite precedenti che siamo destinati a sperimentare nella vita attuale.

prajapati – il primo nato, da cui provengono tutte le altre creature, inclusi esseri umani, demoni e creature celesti.

prasad – offerta benedetta o dono ricevuto da una persona santa o da un tempio, spesso sotto forma di cibo.

prayaschitta karma – le azioni eseguite per eliminare gli effetti negativi di azioni passate intenzionalmente dannose.

prana shakti – forza vitale.

preyo marga – la ricerca di felicità materiali, come ricchezza, potere, fama.

puja – adorazione ritualistica o cerimoniale.

punarjanma – rinascita.

Purana – attraverso l'insieme di esempi concreti, miti, storie, leggende, vite di santi, re e grandi uomini e donne, allegorie e cronache di eventi storici importanti, i Purana vogliono rendere accessibili a tutti gli insegnamenti dei Veda.

Rahu – pianeta-ombra secondo l'astrologia vedica, rappresenta l'oscuramento del sole da parte della luna.

Rama – l'eroe divino del *Ramayana*, incarnazione del Signore Vishnu, considerato l'ideale del dharma e della virtù.

rakshasa – demone.

Ravana – un potente demone. Vishnu si incarnò nella forma del Signore Rama con lo scopo di ucciderlo e riportare l'armonia nel mondo.

rishi – veggenti o saggi realizzati, capaci di percepire i mantra.

Sabarimala – tempio dedicato al Signore Ayappa, situato in Kerala, nei Ghat occidentali.

sadhana – pratica spirituale.

samadhi – unione con Dio. Stato trascendentale nel quale si perde ogni senso di identità separata.

samsara – il ciclo di nascita e morte.

Sanatana Dharma – "l'Eterna Via della Vita", l'originale e tradizionale nome dell'Induismo.

sankalpa – risoluzione divina.

sannyasi – monaco che ha preso voti formali di rinuncia (sannyasa). Tradizionalmente un sannyasi veste abiti color ocra che rappresenta il consumarsi dei desideri. L'equivalente femminile è sannyasini.

Satguru – letteralmente "Vero Maestro". Tutti i Satguru sono Mahatma, ma non tutti i Mahatma sono Satguru. Il Satguru, pur sperimentando la beatitudine del Sé, sceglie di scendere al livello della gente ordinaria per aiutarla a crescere spiritualmente.

Sati – figlia di Daksha e sposa di Shiva. Incapace di sopportare le critiche di Daksha nei confronti di Shiva, si immolò in un fuoco yogico prodotto dentro di sé. In seguito rinacque come Parvati e divenne consorte di Shiva.

satsang – essere in comunione con la Verità Suprema, ma anche essere in compagnia dei Mahatma, partecipare a una conversazione o discussione spirituale e partecipare a pratiche spirituali in incontri di gruppo.

seva – servizio disinteressato i cui frutti si dedicano a Dio.

Shankaracharya – il Mahatma che con le sue parole ristabilì la supremazia della filosofia non dualistica dell'*Advaita,* al tempo in cui il Sanatana Dharma era in declino.

Shiva – venerato come il primo e principale Guru, nel lignaggio dei Guru, e come il substrato senza forma dell'universo, insieme alla creatrice Shakti. È il Signore della distruzione (dell'ego) nella trinità di Brahma (Signore della creazione), Vishnu (Signore della conservazione), e Shiva. Tradizionalmente è rappresentato come un monaco dal corpo cosparso di ceneri, con serpenti tra i capelli, coperto solo in parte da un pezzo di stoffa e con una ciotola da mendicante e un tridente in mano.

Sita – la sacra consorte di Rama che in India è considerata l'ideale della femminilità.

smarana diksha – iniziazione tramite il pensiero.

sparsha diksha – iniziazione tramite il tocco fisico.

sreyo marga – la ricerca della felicità suprema, ovvero della realizzazione del Sé.

Sudhamani – il nome dato ad Amma alla nascita dai genitori, significa "Gioiello di Nettare".

tapas – austerità, penitenza.

Tiruvannamalai – città ai piedi della collina sacra di Arunachala, che si trova nello stato indiano del Sud del Tamil Nadu, dove visse il famoso santo Ramana Maharshi.

tattva bhakti – devozione basata sulla conoscenza, o giusta comprensione, della vera natura del Guru o di Dio.

Upanishad – la parte dei Veda che tratta la filosofia del Nondualismo.

Vasana – tendenze latenti, o desideri sottili, all'interno della mente, che si manifestano con azioni o abitudini.

Vedanta – "fine dei Veda". Si riferisce alle Upanishad che trattano di Brahman, la Verità Suprema, e il sentiero per realizzarla.

Veda – le Scritture più antiche; non furono composte da un autore umano, ma "rivelate" agli antichi rishi in profonda meditazione. I mantra che compongono i Veda sono sempre esistiti in natura nella forma di vibrazioni sottili; i rishi raggiunsero uno stato di assorbimento talmente profondo da riuscire a percepire questi mantra.

vedico – aggettivo che si riferisce agli antichi Veda.

vairagya – distacco, soprattutto da ciò che è impermanente (dall'intero mondo visibile).

vibhuti – cenere sacra (spesso santificata dalla benedizione del Guru).

yagna – sacrificio inteso come offerta di qualcosa durante il culto o come azione compiuta per ottenere benefici personali e collettivi.

yoga – "unire". Unione con il Sé Supremo. In senso più ampio si riferisce anche ai vari metodi pratici con i quali si può ottenere l'unità con il Divino. Sentiero che conduce alla realizzazione del Sé.

yogi – praticante o adepto dello yoga.